Blaffen zonder onraad

Salamander

Ander werk van A. Koolhaas
bij uitgeverij G. A. van Oorschot

A. Koolhaas
Blaffen zonder onraad

Amsterdam
Em. Querido's Uitgeverij BV
Uitgeverij G.A. van Oorschot
1989

Eerste en tweede druk, 1972;
derde druk, als Salamander, 1989.

ISBN 90 214 9700 X / CIP / NUGI 300

Uitgegeven in samenwerking met
Uitgeverij G. A. van Oorschot, Amsterdam.

Toen Gilda op het ogenblik dat de donderlucht het nog net toeliet, zonder een lamp te gebruiken in het bed keek, sloeg haar vader de ogen op.

'Je zult nooit hoeven te werken,' zei hij met een veel krachtiger stem dan de afgelopen dagen. Hij haalde zijn rechterhand boven het dek. Er zat een sleutel in. Het was duidelijk de bedoeling dat zij die eruit nam.

Toen ze hem in haar hand had, knikte de oude kort en droog, als naar een passerende toerist die hem met nadruk had gegroet.

'Wilt u iets, vader?' vroeg ze nog; maar hij had zijn ogen al weer dichtgedaan en zei niets meer. Gilda bleef nog even naar zijn gezicht kijken, dat zich enigszins leek te ontspannen. Ze liep naar de tafel en ging op de punt van een stoel zitten. Ze legde de sleutel met een tik midden op het houten tafelblad.

Hij wilde niets meer. Het was afgelopen. Hij had nooit veel gewild trouwens, sedert haar moeder gestorven was. Zes jaar geleden en van de eerste dag af had zij hem zo veel mogelijk willen bijstaan, om haar moeder enigszins te vervangen en had hij háár zo weinig mogelijk last willen bezorgen. Als mensen zoveel mogelijk van elkaar willen profiteren ontstaat er een spanning van verzet, maar als ze elkaar de kans niet geven om iets voor elkaar te doen, omdat ze de ander alleen maar willen ontzien, krijg je ook iets griezeligs.

Zes jaar geleden was Gilda erg mooi en zeer warmbloedig. Nu, alleen aan die tafel, was ze nog steeds mooi, rijper mooi nog, maar haar volle gezicht was smaller geworden; ze had scherpe lijnen, haar fonkelende ogen waren priemende ogen geworden en ze droeg haar lichamelijkheid nu met zich mee als een wat vol boodschappennet. De jongens hadden na haar moeders dood geen kans meer bij haar gekregen en ze lachten haar uit als ze zich vertoonde. Een enkele weduwnaar had nog wel eens een poging gewaagd, maar nee.

Ze had een misbaksel van een hondje met een rond wit lijf en een veel te kleine kop; een schuwe rottige keffer, die het huis uit vloog zodra hij voetstappen van een voorbijganger hoorde. Vaak kwam Gilda dan ook naar buiten, pakte een bezem en gaf hem daarmee een stoot onder zijn krulstaart. Dan hield het blaffen op en de hond ging, nog wat nakauwend op zijn verwensingen de stenen trap weer af naar de stal waarin hij huisde.

Die stoot met de bezem is in werkelijkheid een poging tot toenadering aan het adres van de wereld buiten het huis.

Ze wil een eind maken aan het blaffen dat achterdocht en vijandigheid inhoudt. Ja, dat wil ze nog steeds, want behalve het misverstand tussen haar en haar vader, als zou het een last voor haar betekenen om hem te helpen en goed voor hem te zijn, bestaat er van de kant van het dorp het idee, dat zij niets meer met de mensen te maken wil hebben.

Het hondje, dat Kienko heet, is er wel van op de hoogte, dat het waarschijnlijk die stomp met de bezem in zijn achterste zal krijgen als het blaffend de trap op vliegt; maar het is sterker dan hij.

Het werkt bovendien in het nadeel van Gilda, want 's nachts komt zij haar bed niet uit en een goed deel van de nacht blaft Kienko dan ook als dol en hij houdt daarmee alle honden en hondjes uit de buurt in de bergen, zo ver die te beblaffen zijn, in een voortdurende onrust van meeblaffen of terugblaffen. En dat draagt bij tot de geïsoleerde positie van Gilda.

Maar nu zat Gilda al een hele tijd naar die sleutel op tafel te kijken.

Er diende van alles te gebeuren. Haar vader moest worden afgelegd en de pastoor moest op de hoogte gebracht van zijn sterven en de anderen. De burgemeester bij voorbeeld. De sleutel en haar vaders woorden 'Je zult nooit hoeven te werken' maakten haar machteloos. Ze wist precies dat het de sleutel was van een kastje, dat onder zijn bed stond en ze begreep ook wel dat daar dus zijn geld in moest zitten of zijn effecten.

De mensen in de buurt lieten altijd verluiden dat de oude behoorlijk geld moest hebben, want hij had zich zijn leven lang ongelukkig gewerkt en zo goed als niets uitgegeven. De laatste jaren ging hij alleen op zaterdagavond naar het plaatselijke café, met de boulebaan; at daar en dronk zo veel likeur, dat hij op zaagselbenen tegen de nacht het bergpad weer afkwam; maar dat was zijn enige vertier. Hij deed dat onder andere om Gilda één dag van de week te ontlasten van haar verplichting om voor hem te koken en min of meer om haar zwijgend te bewegen om ook eens uit te gaan; maar dat deed ze nooit. Ze liep op die avonden wel eens naar het dorp, maar dan zo, dat hij haar niet kon zien van het terras met de bomen af, waar hij zat te drinken.

Ze hield erg veel van haar vader, maar ze had daar geen uitleg voor. We mogen aannemen dat hij ook veel van haar hield, al vond hij het verschrikkelijk dat zijn enige kind geen zoon was. De akkers langs de berghelling, allemaal maar een paar meter breed en dan vier of vijf meter lager weer een, had hij met zijn eigen handen gemaakt, met schitterend van stenen in elkaar gepaste muren en trapjes van de hoger gelegen naar de lagere stukken grond. Zo lang hij leefde had hij zijn grond naar beneden toe uitgebreid, tot wat hij met een hele dag op volle kracht werken net aan kon; toen hij ouder werd en zwakker had hij van beneden af weer wat grond moeten opgeven die hem te veel was.

Dat Gilda in staat zou zijn zijn bezit te blijven bewerken leek hem uitgesloten. Wat was dat trouwens voor leven geweest? De meeste boerenzoons wisten nu wel beter en waren in fabrieken gaan werken met vaste werktijden en zekerder beloning. Wat was dat trouwens voor leven geweest, dacht Gilda overigens nu ook, terwijl ze maar naar die sleutel zat te staren. En die woorden 'Je zult nooit hoeven te werken', hielden die niet in dat ze ook nooit zou hoeven te trouwen?

Die zes jaar nauwelijks aanvaarde zorg voor haar vader waren wat de grond betreft zes jaren van zwaar meewerken geweest, zoals ze al van haar elfde had gedaan, net als de andere meisjes van het dorp. De laatste dagen niet, want ze was in huis gebleven nu hij ziek en duidelijk op was.

Vlak tegenover het huis stond een kapelletje met een paar heiligenbeelden. Het was afgesloten met een hek en doorgaans speelden er kinderen op de stoep, of zaten mannen uit de buurt tegen het hek aangeleund te praten; maar het was nu drie uur en Gilda stond op van de tafel en ging naar de overkant om te bidden. Niet uit gewoonte dit keer, maar omdat er aanleiding toe was. Kienko liep mee en ging voor de treden van de kapel in de zon liggen en Gilda begon te bidden. Voor haar vader en voor een plaats in de hemel, want die kwam hem wel toe. De huisdeur aan de overkant stond open en al biddend vond zij de aanwezigheid van een dode man in het huis een bezit om voor op te komen. Het maakte haar los van de sleur. Ze vroeg zich af hoe het zou zijn: alleen; maar ook of het wel zou hoeven: alleen. Ze hield van die oude. Niet zo maar omdat ze haar hele leven met hem had doorgebracht en voor hem had gewerkt, maar vooral omdat ze allebei altijd zo verlegen voor elkaar waren geweest. Dat had een diepe echo in haar leven gebracht en in het zijne denkelijk ook wel. Nu zij dertig jaar was, deed hij nog altijd of hij zijn ogen niet geloven kon, als hij naar haar keek. Eén keer had ze het tegen hem gezegd, op een zaterdagavond vlak voordat hij ging drinken: 'U zou geloof ik het liefst juffrouw tegen me zeggen!' Dat had hem schuwer en verlegener dan ooit gemaakt en hij was pas laat in de nacht thuisgekomen, toen zij het wachten al had opgegeven en was gaan slapen. Ze was niet wakker geworden van zijn thuiskomst, want ook als hij dronken was zorgde hij ervoor nergens tegen aan te stoten. Iemand die in zo'n huis als waar ze nu naar keek altijd zo weinig van zich heeft laten merken, nooit luidruchtig was of dreunend met eisen kwam, integendeel zelfs in dronkenschap geen gerucht maakte, zal er na zijn dood waarschijnlijk hardnekkiger aanwezig blijven dan een lawaaimaker. Het verschil is te klein. En datgene wat hij dan in stilte dacht, of misschien eigenlijk wel wilde, blijft daardoor makkelijker aanwezig. Het is er niet meer weg te krijgen. Hij zal zijn troost gezocht hebben in het glanzen van de kasten, het geluid van kommen en kroezen, de damp van het eten en buiten bij de scheuren in de muur van het huis, het wasgoed aan de lijn, klaar voor nieuw gebruik. Die geringe dingen van zijn aandacht houden hem aanwezig. Dat wist Gilda nu al, nu het bidden haar niet zo goed afging en ze naar de overkant keek.

Na de begrafenis zou ze het huis heel anders verven en het van binnen ook anders inrichten. Ze voelde dat nu al. Dertig jaar was genoeg. Als hij naar de hemel ging was het niets voor hem om ook hier te blijven, net zo verlegen als hij altijd had gedaan. Het zou hem helpen om weg te komen. Ze hield van hem.

'Pappa,' zei ze. Ze keek de weg af en toen opzij langs de helling en de huizen in de diepte en tussen de bergen door naar de zee.

Hij was altijd ongerust als ze ging zwemmen. Dat

kwam omdat hij zelf nooit de zee in was geweest en verder omdat hij bang was op de weg met de driewielige motorcarrier in de bochten langs de rotswand. Veel oude boeren reden op dezelfde manier als hij, ander verkeer krampachtig uitbannend en er daardoor nauwelijks op reagerend. Het lag er dan ook altijd vol met glasscherven bij bochten en Gilda was op haar beurt ook altijd bang als zij alleen thuis was en haar vader op weg was met de carrier. Ze had zo vaak die bloedende oude boeren gezien, hulpeloos en nors in de war, wachtend op de ambulance.

Ze moest wat doen. Ze moest naar de pastoor die haar vader een paar dagen geleden al bediend had, naar de dokter, de timmerman, de nonnen om hem af te leggen. Postpapier en postzegels kopen, haar ooms en tantes schrijven, telefoneren.

Ze keek naar de huisdeur die half open stond en waar hij nooit meer door naar binnen zou gaan en nog één keer uit. Ze zou nu willen huilen als een gek, nat willen zijn van tranen, overal en helemaal nat van tranen, in een wolk van huilen willen zitten, dampend huilen. De heiligenbeelden van het kapelletje, het pummelig kanten kleedje op de lange tafel met kaarsen, alles daarbinnen was gespeend van mysterie; ze wilde ook helemaal geen mysterie. Ze zei: 'Pappa, pappa...', stond op en liep naar de timmerman die de kist moest maken. Hij zou komen.

De pastoor was er niet en de dokter was er niet. Maar zij zouden komen. De nonnen ook.

Toen liep ze terug naar huis. Kienko liep snel het trapje af en smeet zich tegen de muur van de stal en Gilda ging de kamer binnen.

Ze keek naar hem en hij sloeg de ogen op.

Hij was nog niet dood. Hij keek een ogenblik naar haar en liet zijn ogen toen door het halfdonker van de kamer dwalen. Hij was nog niet dood.

'Het enige wat je nog voor hem doen kan is z'n mond vochtig houden,' had de dokter gezegd. Dat was nu weer precies hoe het was tussen hen. Hij had haar de sleutel gegeven en gezegd: 'Je zult nooit hoeven te werken', en daarna zijn ogen dichtgedaan en zijn gezicht was een beetje ontspannen en zij was de deur uit gegaan en gaan bidden. 'Soms zou u geloof ik wel juffrouw tegen me willen zeggen.' Ze ging bij hem zitten om zijn mond vochtig te maken. Ze streelde zijn voorhoofd dat koud bezweet was.

Er werd op de deur geklopt.

De timmerman.

'Waarom pappa, waarom...?' fluisterde ze. Ze stond haastig op en zei tegen de timmerman: 'Nu niet, nu niet.' Ze keek om. Hij had zijn ogen open. Zag hij dat het de timmerman was voor de kist? Ze duwde de man met kracht de deur uit en hij zei: 'Als ze me roepen voor een kist, dan kom ik.' En hij dacht: die rotmeid, die kan nog niet eens wachten tot hij dood is.

Gilda ging terug naar het bed en hield zijn hand vast. Zijn ogen waren open, maar zonder beweging. Net als zijn hand. Hij was nu wel dood, maar hij liet haar achter met de vraag of hij die timmerman nog gezien zou hebben en hoe zij hem haastig de deur uit werkte.

Hij was dood. Hoe iel, hoe niets. En dan al dat werk, al die akkers langs de berg. Hoe moe!

'Pappa,' zei ze alweer. Ze had een lijf, gebruind, vol, rijp. Nooit een jongen, nooit een man. Het andere leven in huis was Kienko en drie koeien in de stal, die groen te vreten kregen en melk gaven en onbedaarlijk scheten, zodat Gilda iedere morgen om halfzes en iedere namiddag op blote voeten met een kruiwagen vol mest het bergpad afdraafde naar de akkertjes. Koeien met zware uiers. Hij molk ze 's ochtends vroeg, zij 's middags. Het was nu trouwens al tijd om het te doen. Het onweer was overgedreven.

Toen de nonnen kwamen en binnen bleven, verscheen de timmerman na een tijdje ook weer, die had staan loeren of ze ook zo snel de deur uit gewerkt zouden worden. Hij nam zwijgend de maat. Gilda had de sleutel van de tafel, in een lege koffiepot gelegd. De dokter kwam, de pastoor kwam, de buren kwamen om af te spreken voor de dodenwacht. Daarna ging Gilda, toen de koeien zo begonnen te loeien, het vee melken. De buren zagen haar met de kruiwagen voorbij draven en later langzaam terugkomen naar boven.

Thuisgekomen at Gilda wat maar eigenlijk niets; kijkend naar haar vader in zijn doodshemd. Ze hadden nu best kunnen praten hoe het zo gekomen was, die verlegenheid voor elkaar. Ze ging die avond drie keer snel naar buiten om Kienko een stoot met de bezem te geven, omdat hij blafte naar mensen die voor het huis stonden en aarzelden of ze naar binnen zouden gaan of niet. Ze zette koffie voor de dodenwacht. Twee buurmannen, die toch moesten lachen toen de kerels op de stoep voor de kapel: 'Pas op als je haar grijpt vannacht!' zeiden.

Ze spraken 's nachts niet veel, dommelden wat; vroegen of Gilda het nou alleen dacht te doen en verzekerden dat ze vast een goede prijs voor het hele gedoe kon maken, al nam de belangstelling voor het boeren af. Ze vertrokken 's ochtends vroeg weer om te gaan melken. Gilda trouwens ook.

De tweede nacht kon Gilda gaan slapen. Maar Kienko blafte zo lang en maakte alle honden in de buurt zo furieus onrustig, alsof het tot in de verre omtrek vol was met kermend van boosheid rondsluipend gespuis

Het grote blaffen zonder onraad van de kleine honden, dat de ruimte tussen de bergen vult met tegen de rotsen ketsende onrust over het leven. Tegen niemand gericht, omdat er niemand is om zich tegen te richten. Het is donker, er zijn geen geluiden dan van ruisend langs de helling lopend water, van het doffe murmureren van de koeien op stal en hun stomme gestamp in het aarde duister, hun gesmak en hun neutrale heftigheid van schijten, de enige heftigheid die hun als vee gebleven is. Andere geluiden zijn er niet. Behalve van een paar nachtvogels misschien, of van kippen die in hun slaap een zetje van een ander gekregen hebben, zodat ze haast van de stok tuimelen. Er zijn geen andere geluiden. Een auto misschien toch, de bergwanden doelloos belichtend en dan bij bochten zijn licht in de ruimte verliezend.

De ruimte, de ruimte. Pappa is dood, overmorgen zal hij begraven worden, verdwenen zijn en Gilda in haar bed woelt en vervloekt die kleine hond die niet kan ophouden met blaffen. Niet eens weet of het uit verontrusting is, of omdat hij nu in ieder geval niet die bezem onder zijn staart hoeft te vrezen, en vrijuit een beest is en ongestuurd onder de sterren staat te blaffen en nu en dan zacht jankt, net als de andere honden; om te beginnen die van de buren, die ook blaffen en zacht janken.

Er is geen onraad. De oude boer is dood, maar dat is geen onraad. Eeuwenlang zijn hier onder deze lucht oude boeren doodgegaan en vergeten. Dat is geen gevaar, dat is de dood die het niet kan opnemen tegen het leven van de akkers hier, de kleuren, de druiven, de koeien in de donkere stallen, het doorgaan van het roepen en het praten van de mensen, die hier altijd al een gesprek met elkaar beginnen als ze nog ver van elkaar vandaan zijn, de een klimmend en de ander dalend, omdat de hellingen nu eenmaal maken dat het anders zoveel moeite kost om bij elkaar te komen. Daarom gaan ze op grote afstand al met elkaar praten, elkaar beroepen met geweldige stemmen, die langs de hellingen zwiepen. Ze kunnen hun lach oneindig ver laten klinken om de ander te laten weten dat ze lachen om wat die zei. Ze lassoën de ander met hun roep die haast tot het volgende dorp doorklinkt. Er zijn haast geen geheimen denkbaar; want ook als ze op eigen erf ruzie hebben, stijgt die tekst op uit de levenden, tot de levenden op veel hogere erven, of tot in het dal.

Gilda en haar vader riepen niet met elkaar. Maar Kienko blaft en feller dan alle andere honden en onophoudelijker en zinnelozer, zonder ander onraad dan dat er leven is en dood.

In haar bed vervloekt Gilda Kienko. Ze zou eruit

willen om hem te treffen met haar bezem, maar ze doet het niet voor de dodenwacht. Ze blijft liggen en gooit zich van haar ene kant op de andere en soms ligt ze ook met opengesperde ogen op haar rug.

Die honden hebben het nog nooit zo te pakken gehad als in deze nacht.

Ze ligt op haar rug en haar handen gaan naar haar borsten. Als haar vader niet zo stil en bescheiden was geweest, zou ze uit elkaar zijn gesprongen van verlangen, voelt ze nu ineens. Een vreemde gedachtengang, maar ze weet dat het waar is. Hun stilte had iets sereens, haar taak was als die van een non, zonder de poespas van een hemelse bruidegom. Er viel niet aan te denken wél de jongens te zoeken, of stil te staan als een oudere man toespelingen maakte op iets anders dan het weer, of haar vader, of de oogst, of veranderingen op het dorp. Er viel niet aan te denken eerst, op het laatst dacht ze er ook niet meer aan. Nu, met haar borsten in haar handen, vraagt ze zich af of ze leeg is en waarom ze in godsnaam nog niet gehuild heeft? Als al dat huilen zou losbreken, zou het van alles meesleuren dat langs de kanten van die beken van tranen is blijven liggen, dat voelt ze wel. Voor haar is er wel onraad. Het verlangen in haar, dat is doodgezwegen, ligt als een ingepakte last langs een helling. Geenszins klaar om te worden meegenomen, maar nu ook ineens niet meer bijeengebonden in de berusting te worden vergeten.

Als die hond en die honden niet zo ontzettend blaften en het stil zou zijn, zou ze nu wel huilen. Maar dit lawaai slaat en stoot háár, als zij Kienko met de bezem. Ze zou niet weten waar ze moest kruipen om ervan af te zijn. Ze zou Kienko kunnen wegdoen, hem weggeven, dood laten maken; maar de stilte die daarop zal volgen... Die zal erger zijn dan het vertrek uit het leven van haar vader. Het zou een stilte zijn van de adem inhouden, verstikkend; moeder weg, vader weg, de hond weg. Gilda alleen, op haar rug in bed in een koepel van stilte, die ieder geluid in haar oorverdovend zou maken. 'Nee — nee,' fluistert ze en ze knijpt harder in haar borsten terwijl ze naar het geblaf luistert, dat vlak onder haar raam begint en zich voortzet in allerlei soorten van blaffen, hol en met grote adem en kefferig met snijdende ademscheuten. Maar altijd eindigend in zacht janken van weerloosheid en klagende onbestemdheid.

De mannen die de dodenwacht houden slapen er doorheen.

Van de dode in zijn kist gaat een rust uit die het blaffen dempt.

Als ik nu ook dood zou zijn, denkt Gilda, dan ben ik eraf. Dan ben ik eraf van datzelfde onraad, dat al die honden verhindert om tot bedaren te komen. Ze zweet. 'Moeder Gods,' fluistert ze, 'heilige Jezus.' Ze strekt haar armen langs haar lichaam, ze ligt doodstil, stil als dood zijn. Ze sluit haar ogen, ze ademt regelmatig. Weet pappa dit, wat haar te wachten staat? Wist hij het? Hij en haar moeder hadden één kind. Waarom? Iedereen hier heeft er meer, iedereen hier heeft een kind dat leert lopen en een ander dat het jongere al ondersteboven rijdt met zijn stepje. Vindt een vrouw een man die bij haar hoort, bij haar past? Wat past er nog bij haar, bij wie zal zij horen? Pappa..., kinderachtige teem die zij is. Dertig jaar. Pappa...! Ze gonst van verzet tegen zichzelf. Ze hoort een tijd het blaffen niet; dat merkt ze als Kienko even ophoudt en jankt. Ja, dit janken is het. Ze vindt zichzelf daarin. Ze glimlacht. Kienko... (haar moeder gaf hem die naam omdat hij zo vreselijk min was. Het komt van King Kong). Haar moeder. Haar vader. Dertig jaar is Gilda. Als ze nu niet inslaapt, kan ze het wel laten want de koeien wachten haar om vijf uur. Ze slaapt in.

Maar er zijn nachten die niet willen dat iemand in vrede slaapt, vrede heeft. Want nu komt er een geluid dat nog veel vreselijker is dan het geblaf. Het zijn de ezels van Benito. Twee ervan balken nu en dat is een geluid dat tot in de sterren doordringt, die heet zijn of koud zijn, maar van erts of steen en zonder leven. Door dat balken dringt tot in het diepst van de ruimte door hoe het is om te leven; het dragen van een last, het niet ophouden van kwelling. Het zaagt een wanhoop door, — probeert dat althans — die niet door te zagen is. Het zet grote gele tanden en adem in, om een droefheid weg te malen die een eeuwig bestaan heeft en ze weten dat, die ezels, op vier dunne pootjes op de aarde gezet, op rotsen of in woestijnen, in houdingen die altijd, dat wil zeggen: nooit niet, aangeven hoe misplaatst, hoe ten onrechte, hoe onrechtvaardig hun bestaan is, dat zij van hun geboorte tot hun dood uit moeten lopen, beladen, altijd beladen tot ze eindelijk een keer struikelen, wat hun dood zal zijn. Om daarna nog door hun kwellers te worden opgevreten en in worst verwerkt. Worst. Er bestaat geen dieper minachting voor het leven!

Als er engelen bestaan en ze zouden neerdalen op de aarde dan zouden ze voor de ezels bestemd zijn, als er een God is. Maar de ezels zouden naar ze bijten. En terecht.

Daarom is het balken van ezels in de nacht vervloeking van het leven en van de aarde die leven draagt. Vervloeking omdat zij de aarde dragen moeten, in plaats van omgekeerd de aarde hen. Het zijn vloeken om te vragen wanneer het nu eindelijk eens is afgelopen met alle leven op de aarde.

Vijf ezels heeft Benito die een paar honderd meter dieper in het dal woont. Iedere dag gaan ze belast met voer een smal bergpad op, naar afgelegen boerderijen met sombere en eigenzinnige gezinnen erin en weer terug, beladen met wat de boeren verkopen kunnen om verder van te leven. Iedere dag en bij elk weer en als er 's avonds in het donker nog wat te vervoeren is, zal Benito het niet laten, want hij wil op een gegeven ogenblik geld genoeg hebben om ermee op te houden en zijn ezels in worst om te zetten.

Iedere dag lopen zijn vijf ezels even voorzichtig de berg op en er weer af. Maar een heel enkele keer trappen ze tegen een steen, die dan langs de helling valt, en vallend tegen de rotsen ketsend en later die opnieuw rakend, op zijn weg naar de diepte. De ezels struikelen niet en ze aarzelen niet; ze verplaatsen hun hoefjes van de ene enig mogelijke plaats naar de volgende. Iedere dag. Klimmend. En dalend. Iedere dag die God geeft.

Hebben ze gedachten? 's Nachts balken er soms een paar ineens. Dát balken. Het verschrikt en het maakt degenen die in weerwil van het blaffen van de honden zijn ingeslapen, opnieuw wakker en doet ze verstijven in hun bed en nog erger wanneer ze in het donker vlak bij de ezelstal van Benito passeren.

Iedereen zou willen wegsluipen van die stem der aangerichte ellende. Maar er is geen ontkomen aan, omdat het hier van de bergen uit opstijgt tot de sterren en daar verkondigt wat leven inhoudt.

Ja, ze paren ook en werpen jonge ezeltjes. Maar daarom misschien juist wel...

Gilda werd wakker van het balken. Het zaagde met rijke slagen door haar ziel. Ze had er vaak naar geluisterd, maar nooit zo rijp als nu. Anders waren het altijd de ezels van Benito die ze hoorde, maar nu was het het geluid van levende wezens, het rotsen verscheurend klagen, het genadeloze waarom?

Waarom?

Háár waarom ook. Haar handen gingen opnieuw naar haar borsten en ze kneep nu hardvochtig. Ze was koud en ze gloeide, nee ze gloeide zich koud met nog het zweet op haar lippen van haar vaders dode voorhoofd van toen ze hem nu en dan zoende nadat hij gestorven was. Ze zou haar naam Gilda, verscheurend, en met de lassoroep waarmee ze vroeger haar moeder van de akker naar boven riep, willen schreeuwen; niet melodieus dit keer, zoals vroeger, maar bloedstollend en verschrikkelijk omdat er geen mensen op de aarde zijn. Geen andere mensen toch, omdat er geen troost is, niets ervan toch eigenlijk, zoals dit balken verkondigt aan de andere levenden.

Geen troost.

Het duurde niet lang. De honden herbegonnen ook niet en Gilda sliep opnieuw in en merkte niet, dat de buren die de wacht hadden gehouden al lang weg waren. En voor het eerst werd ze pas diep in de morgen wakker, doordat een oom en een tante, de laatste bekreten en wel, haar slaapkamer binnenkwamen, en al lang dachten en wisten dat het hier een rotzooi zou worden, nu Gilda meteen al in haar nest bleef, in plaats van de koeien te gaan melken.

Tussen de bergen door kon je dus de zee zien van Gilda's huis uit; haar vader had er altijd ongerust naar
zitten kijken als ze was gaan zwemmen, zij zelf keek er
altijd onbestemd naar. Ze vond zwemmen fijn, maar
veel meer deed de zee haar niet. Wel aan de andere
kant van de berg, waar ze tegenaan woonden. Van de
top van hun berg af kon je tussen de andere bergen
door en gedeeltelijk er overheen de zee aan beide kanten van hun schiereiland zien. De enkele keren dat ze
gasten hadden, gingen ze wel naar dat kleine plateau
met gras en bloemen. Het was geen officiële uitkijk-
plaats voor toeristen of zoiets dergelijks, er was zelfs
geen balustrade om kinderen voor een val in de diepte
te behoeden; je moest gewoon op je tellen passen en
niet struikelen of een grappig duwtje krijgen. Maar
dan kon je geweldig van het uitzicht genieten, vooral
tegen zonsondergang als zowel de hemel als de zee in
dieprode en paarse kleuren, zelf gloed gaven en kleur
aan de grijze bergwanden links en rechts.

Je kon ook altijd mooie boeketten plukken op de terugweg naar de plaats tot waar een auto kon komen.
Er was daar nog een soort herberg ook, waar overi-

gens niet veel te krijgen was, want die stond er overwegend voor de bruiloften van boerendochters uit de
buurt, met een zaal die wel iets van een stationshal
had, zo groot en met geweldige grote ramen, afge-
keerd van het mooie uitzicht overigens en toegewend
naar een steile bergwand zonder leven. Als er geen
bruiloften waren, stonden de tafels tegen elkaar ge-
schoven als een apart bergplateau. De stoelen waren
kwellend ongemakkelijk, maar dat was het hele leven
van de boeren hier vlak bij de top.

Het dorp waar Gilda dan wel ging zwemmen heette
Pallio. Het had een rijke burgemeester met een uitbundig van terrassen voorzien groot rijk huis. De burgemeester zelf zat in de gevangenis.

Zijn ene zoon was priester en zijn tweede had
kunstgeschiedenis gestudeerd. Vermoedelijk was
trouwens die priester ergens weggejaagd, want hij zat
bijna altijd samen met zijn broer op een van de terrassen van het huis. En ze lieten zich bedienen door hun
moeder, een klein grauw vrouwtje dat niet mee op was
geklommen met man en kinderen en er niet in geloofde. Daar zou ze met die man in de gevangenis ook wel
alle reden toe gehad hebben, als niet het geld gered
was toen haar man veroordeeld werd. Tot een half
jaar overigens maar.

De reden was dat die man als voorzitter van een gewestelijke raad samen met een aannemer een vol jaar lang zandtransporten boven op de berg had laten brengen. Het geld daarvoor had hij losgekregen van gewestelijke raad en regering en wel voor vage plannen van wegenaanleg en een toeristenoord. Het had vele miljoenen gekost; de plannen bleven jarenlang even vaag en op een goede dag begaven de houten wanden en balken het die de enorme zandvoorraad tegen de bergtop stutten en vloeide al dat zand als een gletsjer omlaag langs de kale wand en bleef over honderden meters voor altijd liggen als een signaal van de slechtheid van mensen. Het kostte de aannemer een half jaar en de burgemeester een half jaar, maar het geld beschouwden de autoriteiten welwillend als verloren, en het verzamelde dapper rente voor de twee gevangenen.

Of de zoons van de burgemeester hier een speciaal geloof aan zand uit overhielden is moeilijk te zeggen, wel richtten hun bespiegelingen op de terrassen van het rijke huis zich op de mogelijkheden van een zandstrand, in plaats van het grauwe keienstrandje van Pallio, dat aldus nieuw uitgedost een toeristische trekpleister zou kunnen worden. Een hotel, badcabines, zwemsteigers, een klein casino, een zeeaquarium, een visrestaurant, een iets betere weg naar Pallio, dat was alles wat er nodig was. En zand dan natuurlijk voor een zandstrand. Dus toen de burgemeester en de aannemer uit de bak kwamen en meesmuilend hun zandgletsjer zagen hangen toen ze er voorbij reden op weg naar hun mooie huizen, konden ze meteen weer aan de slag.

Het eerste wat ze deden was de journalist Tino die een streekblad exploiteerde, maar ook wel correspondenties verzorgde voor grotere bladen, aanstellen tot promotor van het plan. Tino verscheen vele middagen ook op een terras van het rijke huis, dat werkelijk imposant heerste over het keienstrandje van Pallio; hij dronk er veel, spotte samen met de (even afgezette) burgemeester en diens zoons vaak over de mensen uit de buurt, die op het keienstrand kwamen zwemmen (maar niet over Gilda wier vormen de plannenmakers tot en met de priester stil maakten) en ze bliezen de aanvankelijk maar matig gloeiende plannen aan tot vlammende toekomstdromen over de parel Pallio in een gouden zetting.

De zandauto's begonnen weer te rijden ten koste van een drukbezocht zandstrand aan de andere kant van het schiereiland, waar niemand duidelijk zeggenschap over had. En de eerste artikelen van Tino begonnen in tal van kranten te verschijnen over de ongedachte perspectieven van Pallio. Beleggers werden gestrikt voor de bouw van het hotel, ze voerden besprekingen op de terrassen, werden in de watten gelegd en zagen de toeristenstroom al zwellen en zo ontstond er een badplaatsje Pallio, uniek gelegen aan de golf van X.

'Pallio, parel' allitereert lekker en de witharige burgemeester bouwde zijn gevangenisstraf mooi om in licht kwijnen over een onrechtvaardige veroordeling, die maakte dat men iets aan hem goed had te maken, toen hij het hotel opende. Hij mocht verwachten kort na die dag opnieuw burgemeester te zullen worden.

De eerste hotelgasten kwamen, caravans ook, waar overigens niet zo veel plaats voor was (en die in het algemeen als ze eenmaal op een vlak plaatsje van de helling waren gemanoeuvreerd toch ieder ogenblik omlaag dreigden te schuiven) en aangezien de burgemeester en zijn zoons besloten hadden om de eerste twee jaar de toeristen niet tot in het dolzinnige uit te schudden, waren ze nog tamelijk tevreden ook.

Wat jammer was voor de burgemeester, zijn zoons, de aannemer en Tino was dat Gilda nooit meer kwam zwemmen. De gasten van elders boden wel een zekere compensatie, maar ze toonden niet het geheimzinnige naakt van Gilda, dat destijds was te zien tussen het moment waarop ze haar kleren op de keien verliet en dat waarop ze onder de waterspiegel verdween. Ze schreeuwde en gilde bovendien nooit, zoals andere zwemmers; kwam altijd heel stil weer te voorschijn en was dan iets langer gade te slaan als ze zich afdroogde. Ze hadden het er nog wel vaak over en op een keer wist toen de aannemer te vertellen, dat haar vader dood was en dat ze alleen was overgebleven, 'met een bom duiten, naar ze vertellen'.

Nu was Tino getrouwd, doch niet tot zijn genoegen. Hij zei niets toen de anderen vaststelden hoe begerenswaardig Gilda dan nu wel was, maar hij dacht wel een en ander en vooral dat hij erachter moest zien te komen waar ze precies woonde.

Dat was niet zo moeilijk, want men sprak in het algemeen veel over Gilda. Een maand na de dood van pappa had ze het huis geschilderd. Dat wil zeggen niet in het grijs en wit, dat mee was verweerd met de ongeverfde planken van het hek en van de palen die de waslijn droegen, maar in een uitbundig paars en met even uitdagend oranje de deur, de raamkozijnen en de dakgoot. Volstrekt onvoorstelbare kleuren in deze buurt en waarom? Dat vroeg iedereen zich af die het huis voorbijkwam. 'Het lijkt wel een hoerenkast,' zeiden de vrouwen die zo'n inrichting nog nooit gezien hadden en ook de mannen dachten wel zoiets, want ze stelden zich soms met grote vrijmoedigheid voor het huis op, zonder acht te slaan op het geblaf van Kienko en als Gilda dan als vanouds het huis uit kwam om haar witte hondje de gebruikelijke stoot te geven en soms met de bezem nog in de hand even de weg op keek, dan probeerden ze wel eens vrijmoedig opmerkingen te maken als: 'Is het binnen bij je even vrolijk als buiten' of: 'Ik heb best een uurtje over' en soms zelfs wel: 'Ze zeggen dat ik het lekker kan'. Gilda deed echter altijd of ze niets hoorde en de zwervers liepen na nog wat uitsloverig talmen, door.

In werkelijkheid had Gilda die exuberante kleuren toegepast om haar vader weg te schilderen. Want toen hij er na zijn dood niet meer was, bleek dat verschil inderdaad zo gering, dat hij er eigenlijk voortdurend duidelijker was voor haar. Ze was de vroegere Gilda die haar vader zo miste, in plaats van de overgebleven Gilda, die nog verder moest. Ook de gedachte om zich van Kienko te ontdoen, kwam herhaaldelijk terug. Vroeger paste dat wel bij het huis. Dat keffende hondje dat uit de stal de stenen trap op schoot en met een stomp van de bezem werd teruggewezen; het was een handeling, opgenomen in het kleurloze, bijna tot natuur geworden huis. Maar nu, tegen die malle felle kleuren was het iedere keer een even dwaas incident; iets als een koekoeksklok, een rustiek mechanisme uit vroeger tijden.

En dat bracht er haar toe om zittend in haar huis na te gaan, hoe ze ertoe gekomen was om Kienko op die manier altijd het zwijgen op te leggen precies zo als ze het Kienko's voorgangers gedaan had. Want als klein meisje deed ze het al. Haar conclusie werd, dat het kwam doordat ze enig kind was. Dat was het enige punt van wrijving tussen haar vader en moeder geweest, ze hadden het er soms over als Gilda onverwachts binnenkwam en zwegen dan. Wat Gilda aan broertjes en zusjes die na haar gekomen zouden zijn had kunnen bedillen, kon ze niet kwijt. Ze had natuurlijk altijd wel bij buren terecht gekund, maar juist omdat haar vader en moeder er zo nu en dan gekweld over spraken dat er niet meer kinderen waren, ging ze niet zo vaak naar buren met kinderen toe, om van haar kant ook niet te verstaan te geven, dat ze die thuis zo miste. Zo was ze begonnen het blaffen van hun hondjes te bedwingen. Een bezem lag toen nog grappig voor de hand; nu was die douw onder de staart eigenlijk rijkelijk vreemd; maar het was zo'n gewoontegebaar dat ze er niet af kon.

Toen ze er eenmaal achter was dat hier de oorzaak wel zo ongeveer moest liggen, bleef ze de stoot trouw, als een trouw aan zichzelf en de situatie van kind te zijn van haar vader en moeder en de gelukkige tijd samen met hen. Want ze hadden er vaak om gelachen als

Gilda haar stoel uitstoof, wanneer de hond blafte.

Toch begon het dorp aan de idiote kleuren van het huis te wennen en iedereen begreep ook wel, dat het waardige huis tegenover het kapelletje niet in een hoerenkast was getransformeerd, wat trouwens daarom ook al onzin was omdat niemand verborgen bleef, dat Gilda's vader heel wat had nagelaten en dat daar bovenop nog eens het fikse bedrag van de verkoop van zijn grond gekomen was. Haar dorpsgenoten begonnen Gilda dan ook al vrij spoedig weer op de gewone manier te groeten al maakte iedereen die 's zondags gasten had, wel een wandelingetje langs het typisch paars en oranje geverfde huis. Heen en terug, want een paar honderd meter verder hield de weg op in een pad van grote keien.

Pappa had zijn spullen goed geregeld. Toen Gilda een paar weken na de begrafenis dan eindelijk het kastje onder zijn bed eens openmaakte met de sleutel die hij haar gegeven had op het laatst, vond ze 1,2,3,4,5, tot zestien punten toe precies opgeschreven wat ze moest doen. Om te beginnen naar de notaris van Pallio gaan, want die van hun eigen dorp 'is geloof ik wel een beetje erg op zijn eigen voordeel uit', had haar vader moeizaam neergepend. Het geld was belegd in effecten van een onderneming die in de verte van het

Vaticaan was, dus beter kon het al niet en de notaris van Pallio was inderdaad een behulpzame oude man, die vochtige ogen kreeg als hij erover sprak hoe hard de boeren in de bergen en hun kinderen werkten. Hij had in zijn vrije tijd ook enkele schetsen over die berg- bevolking geschreven en hij hielp ze uit overtuiging. Gilda zou er graag over gesproken hebben met ande- ren hoe goed haar vader dat allemaal had ingezien.

'Je zult nooit hoeven te werken' was dus waar. Na een paar maanden voelde Gilda het al niet meer als een voordeel. Ze had de koeien nog en ze liep een paar keer per dag, net als de andere vrouwen en meisjes to- taal verborgen onder een enorme bos groenvoer, een bergpad omhoog van het enige stuk grond dat ze zelf gehouden had naar de stal onder in het huis om de koeien te voeren; ze bracht de mest iedere dag naar die akker en ze melkte de koeien en zette de bussen voor het hek. Voor een hele dag was dat echter weinig, want vooral toen haar vader het laatste jaar behoor- lijk verzwakte had Gilda erg hard gewerkt om hem te helpen. Het plotseling verdwijnen van al dat werk maakte de dagen doelloos en ook dat was wel een van de oorzaken van de gekke kleuren van het huis, die iets van de nu nutteloos in haar opgezamelde energie te zien gaven.

Binnen in het huis had ze niet zo veel veranderd.

Wel de dingen op andere plaatsen gezet, maar ze was in haar eigen slaapkamer blijven slapen. Het bed van haar vader en moeder had ze in een schuur gezet en toen de verschrikkelijk grote lege plaats gevuld met een nieuw bureautje, waar ze eigenlijk niets mee moest en dat al na een week vol stond met planten, die ze iedere dag verzorgde. Langdurig zelfs. Ze ging nogal eens naar het kerkhof, waar haar vader en moeder nu samen rustten onder een weelderige steen en een marmeren engel, per bode uit de stad. Ja, eigenlijk was alles gedaan en ze zou als een oude vrouw met de handen in haar schoot kunnen gaan zitten, wachtend.

Dat begrepen de dorpsgenoten ook wel en ze begonnen te proberen haar eens ergens in te betrekken. Aangezien er op het dorp echter niet veel was om iemand in te betrekken behalve verpleging, of een dag op een winkel passen, of helpen een varken dat naar de slager moest op een carrier te zeulen, leverde dat niet zo veel op. Gilda zou moeten trouwen, maar onder punt zestien had pappa niet voor de grap geschreven: als er iemand voor je komt, kijk dan uit, ze zullen gauw genoeg weten dat er geld zit.

Het was duidelijk dat hij zijn rijp geworden dochtertje niet als begeerlijk om andere redenen dan zijn effecten zag. Dat zagen de mannen in de buurt wél en beter dan de jongens die achter de jonge meisjes aanzaten. Maar alleen weduwnaars konden hopen, want Gilda was niet iemand voor een los uurtje om binnen te glippen, of om een ander huwelijk uit elkaar te weken. Ook wat dat betreft was de opvallendheid van het huis, nog afgezien van de omstandigheid dat er doorgaans mensen voor dat kapelletje zaten te zwetsen, niet zo goed.

Dat alles wist Tino al gauw en het maakte hem nog heter als hij nadroomde over Gilda op het keienstrand. Tino is een bijzonder slechte kerel, een uitgesproken rotvent, een brok vuil om eerlijk te zijn.

Als journalist was hij matig en als een gluiperige lakei had hij, door met iedereen mee te praten zich zo hier en daar een positietje geschapen en mensen in zijn krantjes gezet en geprezen en enigszins aan zich verplicht. Wie bij hem adverteerde kon op een hoogdravend stukje rekenen en sluipend en knoeiend en jofeldoenerig was hij opgeklommen tot zoiets als een machtspositie. En toen hij die eenmaal had, was het oppassen geblazen voor de mensen om hem te vriend te houden, want je moest er wél voor uitkijken om Tino tegen je te krijgen. In zijn petieterige dagen was hij getrouwd met een eenvoudig en saai meisje; nu greep hij wat hij grijpen kon en men zag tot in het schuldige dingen van hem door de vingers, of bood hem zelfs kansen. Om hem méé te krijgen! Een bedrijvige viespeuk kortom met ieder jaar een weer iets mooiere auto, die vaak voor huizen stond of huisjes, waar Tino zo te zien niets te maken kon hebben.

Tino begreep dat het niet makkelijk zou zijn om zich Gilda te verwerven. Hij wist natuurlijk dat hij haar niets goeds kon brengen, maar anderzijds dat zij zo'n groot object was, dat het voor hem ook iets riskants had. Dat namijmeren over haar op het strand had haar lichaam zo aan het spoken gebracht in het zijne en hij activeerde dat zelf bovendien zo bezeten, dat hij soms vloekend in zijn auto zat en 'Godverdomme, ik moet eraf, van dat wijf' mompelde. Hij was al een paar keer te voet langs haar huis gegaan, had haar te voorschijn zien schieten, Kienko zien stompen en haar onbeschrijfelijk aardig gegroet. Maar waar moest hij over beginnen met haar?

Toen ze een middag op een terras van de burgemeester over de toekomst van Pallio zaten te praten had de priester het maken van een propagandafolder geopperd, die de vergelijking met reclamegeschriften van andere badplaatsen zou kunnen doorstaan. 'De foto op de buitenkant is alles,' zei de burgemeester. Toen hadden ze luidruchtig getwist wat er op die foto moest. 'Het hotel,' zei de burgemeester. 'Het strand met badgasten.' Tino zei toen: 'Een bloot wijf zoals ze niet meer bestaan.' 'Dat hebben alle andere folders ook,' riep de zoon die kunstgeschiedenis had gestudeerd. 'Ze zijn allemaal hetzelfde,' riep de priester. 'Daarom juist! Wij moeten er een hebben die anders is,' zei Tino kalm. 'Vind die maar!' riep de burgemeester, die lang niet altijd tot zijn genoegen naar het strandleven zat te kijken.

'Dat stuk, dat hier vroeger altijd in haar eentje kwam zwemmen,' zei Tino, nadat hij eerst zijn aansteker op tafel had gesmeten om te onderstrepen wat hij nu ging zeggen.

Ze zwegen.

Ze zagen Gilda voor zich, niet te bezeren over de keien stappend naar de zee. Ze keken naar Tino.

'Te oud,' riep de burgemeester. Ze lachten. 'Jíj moet weer naar de gevangenis,' zei de aannemer.

Dus Gilda.

Maar hoe?

'Ik strik haar,' riep Tino. 'Binnen een maand.'

Een maand vonden ze lang, maar Tino was onverbiddelijk. 'Het zal tijd kosten,' zei hij. Ze vonden ook nog, dat hij met zijn reputatie niet de geschikte was en ze keken naar de priester. Maar die riep ze tot de orde; kwaad nogal en zelfs een beetje bezeerd.

'We maken het niet te gek, hè jongens,' zei hij. 'Afgesproken?' Ze zwegen een tijd als na een redelijke vermaning. Dus Tino.

Toen die naar huis reed was hij zo opgewonden dat hij door de haarspeldbochten piepte en kermde als in dronkenschap. Thuis bezag hij zijn vrouw met gruwel en hij deed geen bek open omdat zij daar altijd duidelijk onder leed. De volgende dag zat hij aan zijn bureau. Hij moest een tekst hebben voor zijn eerste gesprek met Gilda, die niet direct al alles hopeloos maakte. De onderneming was te groot, haar lijf te geheimzinnig voor een viezerd, haar lot mogelijk al te zeer bestemd; het zijne te verrafeld.

'Zeg,' zei hij de volgende dag voor haar huis, toen Gilda haar hondje tot zwijgen bracht. 'Zeg, we zien je nooit meer op het strand.'

Gilda keek naar hem. 'Alsof ze me daar missen zullen,' zei ze toen. God wat een donkere stem; een vrouw als een diep stil meer (gelezen had Tino vroeger wel eens iets). 'Dat kon nog wel eens meevallen,' zei hij en hij dacht: Wat voor geleuter breng ik eigenlijk ten gehore. Ze stond alweer op het punt om de trap af te lopen. 'Je was er altijd zo in je eentje. Zo stil. Zo sereen.' Ze keek hem aan en hij kwam een stapje dichterbij. Er zat alleen een oude man voor het kapelletje maar die dommelde goed. 'Sereen... wat verstaat u daaronder?' vroeg ze. 'Iets anders dan ik, denk ik...' 'Waarom iets anders?' vroeg Tino. 'Dan zou het me toch niet zo getroffen hebben; ons allemaal trouwens.'

Gilda zei dat ze er nu alleen voor stond en dat ze niet graag van huis ging; althans niet zo ver. En dat bovendien het hele strandje bedorven was voor de eigen mensen, zodat ze afgezien van alles, helemaal niet meer van plan was om er te gaan zwemmen.

'Jammer,' zei Tino.

'Jammer?' Nu lachte ze voor het eerst na zeer zeer lange tijd en het lachen welde zo onaantastbaar uit haar op en door haar keel, dat er plotseling iets onbereikbaars voor die morsige Tino stond, dat hem een verwoestend inzicht in zichzelf gaf. 'Ja, jammer,' riep hij. 'Want hoe zijn de mensen van deze streek? Overal te goed voor, omdat ze eenvoudig niet weten willen hoe de wereld verderop eruitziet. Er bestaan toch verder óók nog mensen! Hoe zullen we het nou hebben? Waarom is het in Pallio bedorven, nu er eindelijk een mooi strand is? Is de zee soms bedorven? Is de zee alleen maar bestemd voor de mensen hier? De zee is vrij. Wees blij dat de zee mooi genoeg is voor mensen uit andere landen, die uit willen rusten.' Een heel betoog. Gilda keek hem verbaasd aan. 'Voor mij mogen ze,' zei ze. 'Nou, dat is dan blijkbaar al héél wat,' riep Tino. 'Dank je wel,' voegde hij er nijdig aan toe.

'Nou én...' vroeg Gilda, ook kwaad en Kienko kwam weer te voorschijn en begon opnieuw te blaffen. Gilda deed er niets tegen en liep een paar treden omlaag. 'Ik

kwam nog wel omdat je uitgekozen bent,' riep Tino.
Jammer genoeg deed Gilda nu iets dat bepalend werd.
Ze draaide zich om en vroeg verbaasd: 'Uitgekozen...?'
'Ja,' zei Tino en nu heel dringerig: 'Uitgekozen door de
mensen van Pallio voor een foto op de officiële folder.
Als een symbool bij wijze van spreken van het goede
van Pallio.'

'Ik...??' riep Gilda.

'Precies,' zei Tino. 'Denk er maar eens over na; ik
kom dezer dagen nog wel weer eens langs.' Hij draaide
zich om en liep naar zijn auto, die een meter of twintig
verder stond.

Gilda ging snel naar binnen en bleef midden in de
kamer staan. Toen zette ze de radio aan en ging aan
het bureautje vol planten zitten. Ze wist volstrekt niet
wat ze ervan moest denken, wat er gaande was, wat er
stond te gebeuren. Een foto? Wat zei foto nou? Een foto...?

Tino reed naar Pallio. Ze zaten weer allemaal op het
terras.

'Benito, de Benito van de vijf ezels heeft naar je gevraagd,' zei de priester. Tino reageerde niet. 'Hij wil
geloof ik iets voor de toeristen met die beesten.' Aan
ezels had Tino op dit ogenblik helemáál geen boodschap. 'Er zit wel iets in: ezeltje rijden voor de kinde-

ren,' zei de priester. 'Voor de kinderen hebben we nog niet veel attracties.' 'Aan me nooitniet,' riep de burgemeester. 'Die beesten dwars tussen de zonnebaders door zeker. Stront op mijn strand! Als er rotkinderen tussen zitten gaan ze ermee gooien.'

'Hoe sta je met die meid?' vroeg hij een tijdje later aan Tino, toen die wat te drinken had gekregen. 'Heeft ze het plafond van d'r slaapkamer al bestudeerd?'

'Die vrouw is terrific,' zei Tino om ook eens een Amerikaans woordje te gebruiken. 'Dat is een vrouw, jongen, waar jij niet eens over mag praten.' De burgemeester was niet onder de indruk. 'Koop nou niet zo'n lijzig badpak voor haar,' zei hij, 'dan kunnen we het net zo goed laten.'

Op dat ogenblik duwde Gilda de lege mestkruiwagen alweer de helling op. Haar loop was krachtig, haar voeten sterk, haar houding die van een mens dat zeker is van haar leven. Ze sprak een buurvrouw aan en vertelde van Tino en van de foto. 'Ik weet me geen raad! Wat moet ik?'

'Je moet vragen of je er zelf ook een van mag,' raadde de buurvrouw, klaarblijkelijk geïnformeerd in dergelijke zaken. Verder scheen ze het gewoon te vinden.

Dat verontrustte Gilda nog meer.

Al zou Kienko die nacht niet geblaft hebben, dan

zou ze toch niet hebben geslapen. Ze wilde zich van alles voorstellen rondom die foto, maar ze had er geen
gegevens voor. Wat nou foto? Zij... en hoe dan wel?

In de zee. Op het strand. In badpak.

Dat badpak kwam ineens aanzetten als een dreun.
'Zo sereen,' had Tino gezegd.

Zo sereen.

Als hij terugkwam en wat meer vertelde, zou ze de
notaris van Pallio om raad vragen. Maar als die ook
alleen maar zou zeggen: 'Dan moet je vragen of je er
zelf ook een van mag hebben', wat dan?

'Kienko,' fluisterde ze, 'Kienko.'

Benito van de vijf ezels had inderdaad naar Tino
gevraagd. Eerst bij het hotel, vervolgens bij de burgemeester. Er waren mensen genoeg in Pallio, maar ook
in de omstreken, die er al beter van geworden waren,
van dat strand. Ze ventten tussen de zonnebaders, ze
leverden aan het hotel en ze verkochten aan de mensen met caravans. En inderdaad had iemand wel eens
verteld, dat op andere stranden ezeltjes waren waar
de kinderen op konden rijden. Met vijf ezels viel nog
heel wat te beginnen en het zou in het seizoen licht lu-
cratiever zijn dan iedere dag die moeizame klim naar
de boeren boven, die eigenzinnig genoeg waren om
nooit méér voor Benito's diensten te betalen dan ze altijd al gedaan hadden, ook al was verder alles duurder

geworden, vooral ook de produkten die Benito's ezels terug droegen naar beneden. Benito had de pest aan zijn klanten. Het was nooit naar hun zin en ze deden altijd spottend over die rotezeltjes, alsof er carriers bestonden die over de smalle paden en al die losse stenen heen zouden kunnen. Voor hem konden ze sterven, al die kale, geharde, pezige boerenhufters met een stuk of tien bruiloften in hun hele leven als enig verzetje, dat tegelijkertijd inhield, dat er een werkkracht minder was in de toekomst. Want vooral op die magere boerderijen aan de top was de animo van kinderen om ook zo'n kaal leven te hebben, gering. Zodoende droomde Benito maar door over ritjes met vrolijke kinderen op het strand. Hij wist de prijzen al die hij zou vragen en hij had ook al in zijn hoofd om borden te maken die de ezels omgebonden konden worden en waarop stond: 'Benito — ezeltjerijden — vermaak voor jong en oud'.

Tino zou hem moeten helpen en er in de krant over kunnen schrijven en bovenal ervoor zorgen dat zijn ezels als een duidelijke attractie van Pallio in de folder waar iedereen nu wel van wist, opgenomen zouden worden. Het was dus een slag dat Tino er niet was, want met de burgemeester durfde Benito er niet over te beginnen, laat staan met een van diens zoons, die altijd zaten te schateren als er dorpelingen onder hun terrassen door liepen; en helemaal niet met de aannemer die zonder onderscheid iedereen uit de buurt afbekte en voor gek zette.

Voor Tino was Benito trouwens ook bang genoeg, want die zou het zeker niet voor niets doen en bovendien riep hij steevast als hij Benito's dochter Maria zag: 'Wanneer ga je nou eens mee uit?'

Ja, dat riep hij, de smerige hond.

Toch zou Benito op de een of andere manier voor het blok moeten als er iets met zijn ezels voor de badgasten ondernomen moest worden. Dat waren allemaal zorgelijke dingen, al telden de ezels er niet in mee, want aangenomen dat die van hun tocht naar de boeren af zou raken, optredend als attractie wachtte hun ook al geen bijpassende vrolijkheid, sinds Benito reeds vijf zweepjes had gemaakt voor de jeugdige berijders, om ze ook eens te laten draven op het strand in wedstrijden. Spannende ezelrennen, voor jong en oud!

Tino zei, toen Benito hem eindelijk te pakken had, dat Benito's Maria dan eerst met hem 'mee uit' moest, 'en bij iedere nieuwe druk van de folder nog es, laat daar geen misverstand over zijn'. Maar dat hij er dan wel over wilde denken een stukje over de ezels op te nemen.

Hij raadde Benito echter aan om iets anders te verzinnen dan strandritjes, 'tochten in de bergen of zo', want de burgemeester wilde geen uitwerpselen op zijn zandstrand, 'en die ezels van jou schijten nooit niet'.

Maria kon voorlopig nog gerust zijn. Tochtjes in de bergen of zo. Benito kon er niet aan denken om met toeristen zijn bergpad te beklimmen, in plaats van met lading voor de boeren. Die zouden zo onthand zitten als Benito niet meer kwam, dat er toch al niets dan ellende van te verwachten was; maar als hij dan bovendien nog iedere dag twee keer langs hun huizen voorbijkwam met bont gekleurde badgasten op zijn dieren, dan zouden ze op zijn minst met stenen gooien, al van uit de verte schelden en wie weet wat voor andere molestaties. Hij moest van Tino gedaan zien te krijgen, dat het toch het strand zou worden en als het helemaal niet anders kon, moest Maria het maar zover zien te krijgen. Die was niet voor niets zestien nu.

Maar het was wel een angel in zijn dromen als hij langs de boeren trok en aan zijn ezels als attractie dacht. Een angel, die hem hoe langer hoe wraakzuchtiger stemde jegens die norse mensen in de bergen, die muntstuk voor muntstuk in zijn hand legden als het op betalen aankwam, alsof het een tegen hun zin bedreven uitspatting was.

Hij zou op een morgen als een daad van hogere

rechtvaardigheid, zonder enige waarschuwing níet naar boven komen. Ze zouden alles wat zijn ezels nu droegen, zelf moeten sjouwen, met hun hele gezin. Urenlang door de brandende zon, of door de slagregens, of de wolkennevels. En als ze dan beneden waren, konden ze meteen weer naar boven, vanwege de tijdnood. Ze zouden absoluut geen gelegenheid hebben om naar het strand van Pallio te komen, om hem daar met stenen raak te gooien, als hij met een grote strooien hoed op, kinderen op zijn ezels zou staan tillen. Zelfs op zondagen niet. Op zijn hoogst zouden ze hun zoons, die ergens anders werkten, op hem af kunnen sturen; maar die zouden diep in hun hart waarschijnlijk wel begrijpen waarom Benito het verder verdomde; al waren ze net zo zuur en eenzelvig als hun vaders.

De besprekingen op de terrassen van de burgemeester begonnen intussen iets gedwongens te krijgen, omdat Tino maar niet over de brug kwam met Gilda. Hij was er wel een paar keer naar toe geweest, maar waarschijnlijk had ze hem zien aankomen en ze kwam niet naar buiten en liet Kienko blaffen zo lang als hij zin had. Ze tuurde vanuit het donker achter haar oranje kozijnen wel naar hem. Hij maakte haar bang. Maar zo vreselijk kon alles toch niet worden, of het betekende ook wel een diep verlangde verandering.

De koeien begonnen haar te hinderen en als ze in de kleine spiegel op de deur van de huiskamer keek, verafschuwde ze ook het priemende kijken van haar donkere ogen. Ze erkende dat er al een heel gebied van uitdrukking uit de blik verloren was gegaan. Ze probeerde wel eens vriendelijk naar haar eigen spiegelbeeld te kijken, maar juist voor zichzelf kon ze weinig tederheid opbrengen. Dat werd dus niets. En het maakte haar angstig. Ze stapte sommige dagen rusteloos telkens weer naar de heiligenbeelden aan de overkant. Hun kale zoete smoelen bewogen niets in haar. Wat had ze te bidden? Dat alles goed zou aflopen? Er was nog niets begonnen.

De volgende keer dat Tino op de weg voor het huis stond, kwam ze naar buiten. 'En heb je je fototoestel nou eindelijk eens bij je?' vroeg ze.

Hij wist niet hoe hij het had, maar hij reageerde snel.

'Ja zeg, dat moet niet zó maar een prent worden. Dat moeten we prima uitkienen.'

'Hij wil me fotograferen,' zei Gilda tegen de mannen die op de treden zaten. Tino vloekte geluidloos. Ja, haal er het hele dorp in, dacht hij woedend. 'In Pallio, hè,' zei hij nu tegen die mannen. 'In Pallio daar hebben ze ogen in hun hoofd. Daar hebben ze jullie

Gilda uitgekozen voor de reclamefolder van het strand. Ik moet het verzorgen.'

'In haar blote kont dus,' zei een van de kerels.

'We zullen haar een badpak aantrekken als ze op dit stuk van de wereld nog nooit gezien hebben. Laat staan in Pallio. Jullie Gilda!'

Dat was het dus. Ze zou het badpak aan moeten. Zo sereen, had hij gezegd. Hoe sereen dan wel?

'Kom morgen bij de burgemeester om halfvijf,' zei Tino ineens zakelijk. 'Neem maar mee wie je mee wilt nemen als je het niet vertrouwt.'

''k Zal wel zien,' zei Gilda.

Dit keer keek ze Tino niet na. Hij bleef trouwens nog even staan praten met de mannen op de stoep. 'Ze zien er wat in daar beneden. En wie ben ik...?' 'Weet je dat dan nog altijd niet...' zei een van de boerenjongens die met achterdochtige eerbied Tino zo'n beetje pas op de plaats zag maken, half vertrekkend, half blijvend. 'Als je háár schort lostrekt, dan krijgen we steenlawine met jou erin,' zei de oude boer die het grootste deel van de dag op die stoep zat te dutten. Tino keek hem aan. Was dat wijsheid of belegen boerengrappigheid? Hij keek of hij Gilda achter het raam zag bewegen, maar daar was niets. Wel zag hij de steel van een hooivork groot bewegen boven de staldeur uit.

Morgen was de dag!

Misschien.

Hij groette en stoof even later met scheurende banden weg.

De volgende morgen ging Gilda naar de notaris van Pallio om hem te vragen of ze het kon doen.

'Natuurlijk, dat vinden alle meisjes toch leuk,' zei hij. 'En dan nog wel een meisje uit de bergen! Het moet zeker op het strand gebeuren? Tegen de zee. Je ging toch vaak zwemmen?'

Gilda legde hem uit, dat het voor haar zo'n ongewoon iets was. En Tino scheen zo'n slechterd te zijn. En dan de burgemeester. En zijn mooie zoontjes. Wat moest ze daar?

De notaris zei, dat hij nog nooit vernomen had van iemand die door een foto bedorven was. 'Je bent er zelf bij, kind.'

Of hij dan in ieder geval met haar mee zou willen gaan, als ze ging afspreken. Natuurlijk wilde hij dat. 'Ze hebben gezegd om halfvijf, maar dat wordt wel zes uur,' zei Gilda, want ik moet nog melken en de bussen klaarzetten en me verkleden.' Ze was duidelijk niet geroutineerd in afspraken. Ze zou gáán; tijd bestaat dan niet eens.

Ze keken op het terras, na anderhalf uur zuinig wauwelen van ze komt niet, ze komt wel, er bepaald van op toen Gilda samen met de notaris verscheen, die meer van de burgemeester en de aannemer afwist dan ze voor het laatste gericht hoopten dat bekend zou zijn. Het was meesterlijk van Gilda. Zelfs de aannemer stoof overeind om stoelen aan te slepen; iets wat hij in zijn hele leven zelfs nog nooit bedacht had te kunnen doen. De zoon die kunstgeschiedenis had gestudeerd herkende Gilda van wel dertig oude schilderijen en dia's; Tino kreeg een kleur van het effect dat zij maakte maar keek daardoor des te onbeschaamder, met hoog opgetrokken wenkbrauwen de kring rond. Nou?? Dát was vlees in de kuip!

Is dat godverdomme niet eigenlijk meer iets voor een bedevaartoord dan voor een zandstrand? dacht de burgemeester; maar kijkend naar de ontreddering bij de anderen, gaf hij Gilda een voorsprong op zijn twijfel.

'Nu heren,' zei de notaris van Pallio, 'wat is de bedoeling. Een foto?' Tino keek naar de kunsthistoricus. Die moest het zeggen. En die zei het ook; kalm en deftig pratend. Dat Pallio nu wel een aardige start had gemaakt als badplaats, maar dat er aan de toekomst gedacht moest worden. 'Een heleboel mensen weten eenvoudig nog niet, wat voor klein paradijs hier te vinden is.'

'En dan denken we in het bijzonder aan het betere publiek,' riep Tino er haastig tussendoor.

'Kortom, een heleboel mensen weten doodgewoon nog niet wat Pallio te bieden heeft. Dat moet ze op aantrekkelijke wijze aan het verstand gebracht worden. Nu zijn er honderdduizenden folders van badplaatsen in omloop, allemaal met de bekende badnimf buitenop, maar die maken juist dat er zelden meer iets echt intrigerends van uitgaat.'

'Maar met Gilda...' riep Tino.

'Inderdaad, met Gilda hier, die we vroeger, toen het zandstrand er nog niet was, hebben zien baden, met haar...'

'Met het serene van haar...' riep Tino.

'Met háár geloven we iets in handen te hebben, dat wél intrigerend is en dat degeen die de folder ziet, meteen ook een indruk geeft van de mensen uit de bergen, die achter Pallio oprijzen...'

'Tenzij je de zee als achtergrond neemt,' zei de aannemer.

'Dan nóg. Zij is typisch iemand uit de bergen...' zei de zoon die kunstgeschiedenis had gestudeerd uitermate ter snede, want hij kende de notaris.

'En wanneer moet het gebeuren plaatsgrijpen? Nu meteen?' vroeg de notaris.

'Als u wilt meteen,' riep de aannemer, maar dat was te gedienstig, want Tino was op meer 'briljant licht' uit dan er nu was. 'Hoewel,' zei nu de kunstgeleerde, 'juist een zekere mate van bezonkenheid in de atmosfeer...'

'Schei uit,' riep zijn vader die Gilda onbekommerd had zitten monsteren en er hoe langer hoe duidelijker aan twijfelde of deze baadster de juiste toeloop wel zou stimuleren (hij dacht meer aan een uitgeloogde blondine, die duidelijk van wanten wist). 'Bezonkenheid, wat moeten we hier met bezonkenheid?' Als een half jaar brommen die niet kan bewerkstelligen, dacht hij au fond niet ten onrechte, dan een naakte meid zeker wel... Zijn zoon liet bezonkenheid vallen en het zou nu de volgende dag omstreeks twaalf uur worden.

'Wil je het badpak even zien? Je mag het trouwens houden,' zei Tino en hij snelde het huis in en kwam met twee geringe lapjes terug.

'Wilt u het even aantrekken, dan weten we tenminste vast of het past, morgen,' zei de burgemeester. Iedereen zag aan hem, dat hij er niet in geloofde.

Gilda kreeg haar kostuum in haar handen gedrukt en stond zo ongeveer verstenend van hulpeloosheid tussen de kerels. Ze keek naar de zee, daarna naar de priester en ten slotte haast onmerkbaar nee schuddend naar de notaris.

'Ik denk dat het wel een beetje een stap voor haar is...' zei die dan ook. En de anderen in het oog vattend, betreurde hij het alweer in de hoogste mate zo onberaden ja te hebben gezegd. Wat een hoop vuil zat daar popelend naar die Gilda te kijken. Ja, hij wist niet of Gilda in een badpak toeristen zou lokken, in de verste verte wist hij dat niet. De anderen klaarblijkelijk wel.

'Moet ik het heus nu aantrekken? Niemand gaat nu toch zwemmen...' zei Gilda zacht. 'Je moet het zien als een showpakje,' riep Tino, slikkend, want de zaak werd precair en bovendien: zij was toch eigenlijk meer iets voor in een geheel donker bed dan voor een strand in het helle licht van twaalf uur.

'Doe het maar snel, misschien ben je wel niet geschikt voor het doel,' zei de notaris. Als een geruststelling. 'Mijn vrouw zal u wel helpen. Mamma...' schreeuwde de burgemeester. Mamma... dacht Gilda. Waarom in godsnaam had ze dit gedaan. Ze schaamde zich dood voor de notaris en voor mamma. Het vrouwtje kwam er sloffend aanstiefelen en zoals altijd, als ze op de terrassen kwam om iets te halen of te brengen, verminderde ze geen vaart en beduidde ze Gilda alleen maar achter haar aan te komen. Ze keek misprijzend, opende een badkamer en zei dat ze hier haar gang kon gaan.

De priester schonk de notaris nog eens in en zei: 'Heerlijk, die Unschuld vom Lande.' Dat was meer Duits dan de anderen verstonden, maar ze glimlachten op dezelfde manier als de Duitsspreker naar de notaris, die vroeg om nog een blokje ijs in zijn glas.

Daarna keken ze allemaal naar de zee. Zodat Gilda al een aardig tijdje in de deur naar het terras stond, zonder verder te durven, voordat iemand haar zag. De zoon die kunstgeschiedenis had gestudeerd was dat.

Ook hij zag al meteen dat het een vergissing was. Vroeger als hij lezingen met dia's gaf, stampte hij met een stok op de vloer voor de volgende prent. Hij wenste innig dat hij dat nu kon doen, voordat ze dit plaatje zagen, maar hij zei uiteindelijk: 'En daar is ze dan...!'

Ze keken allemaal nu.

'Godschristus,' siste de burgemeester door zijn tanden.

'Moeder Maria,' fluisterde de aannemer.

'Kom je dichterbij, of blijf je liever daar?' riep de notaris.

Gilda was een droom geweest, begreep Tino. Althans voor wat folders betreft, dacht hij er onmiddellijk achteraan.

Gilda kwam dichterbij. Onnavolgbaar lopend, zoals iemand die gewend is om op blote voeten te lopen en zoals iemand die in werken en tillen alle spieren heeft leren kennen. Ze was om te huilen mooi eigenlijk. Maar niet voor folders! Het indrukwekkendst was dat ze, nu haar kleren uit waren, niet was onthuld. Integendeel: ze was hoe mensen op hun schoonst bedoeld zijn, rechtop op de aarde. Maar een terras vol oplichters en schavuiten is geen aarde.

Gilda's ogen priemden niet.

Ze waren zacht als vroeger. Ze was aards, maar zonder het weerloze van wie op de begane grond leeft. De notaris kreeg gelijk met zijn mensen van de bergen, al ziet men die nooit naakt. De ontwerper van het showpakje was een lorrentrut, een vlokje kwijl, niet eens de moeite waard om af te vegen. Hoe kan een levend wezen een lichaam iets aantrekken, dat het zo stumperig verdeelt.

'De natuur is in ons midden, heren,' zei de kunsthistoricus.

De oude notaris daagde iets. Men maakte hier misbruik. Men beledigde iets, waar men te banaal voor was om het bestaan van te vermoeden. De aannemer besloot dat hij dit wijf hebben moest, al kostte het hem de helft van zijn kapitaal. En Tino, de beverige, rillende, vieze Tino zag voor zijn ogen alles mislukken. Niets te versieren! Al voelde hij dat hij in het vervolg alleen nog maar machteloos aan zou plepperen in zijn rommelig bestaan, in plaats van door de triomf haar gewonnen te hebben en te verwerven, vermeteler te zijn, unieker!

'Zo goed?' vroeg Gilda.

'Ik geloof wel dat we zeggen kunnen: heel geslaagd,' mompelde de priester en hij lachte moedeloos in haar richting.

Gilda draaide zich om en ging zich weer aankleden.

'Aanmenooitniet,' riep de burgemeester.

'Ssst,' deden ze.

'Aanmenooitniet,' zei hij nu wat zachter. 'Ze moet niet voor een kar, die merrie, maar op een folder.'

'Het is een trekdier, en geen trekpleister, wil je zeker zeggen,' riep de aannemer, geestig genoeg voor hem.

'Het is me nooit zo opgevallen dat de heren verstand hadden van paarden,' zei de notaris buitengewoon snijdend. Hij wilde liefst meteen opstappen, maar eerst moest Gilda in veiligheid.

'Ons is iets geopenbaard van een dwaling,' zei de priester.

'Het is het type hè,' zei Tino, 'dat is indrukwekkend genoeg, maar helaas, niet voor onze folder... Ik zal verder moeten zoeken.' Ik zal grommend en kwijlend, bevend en jammerend voor haar deur stampen tot ze me binnenlaat, dacht hij. Ik zal op genade of ongenade aan haar overgeleverd zijn, ik zal anders gaan leven, ik zal de Moeder van God smeken, maar ik zal haar naaien tot mijn kop los uit het bed rolt.

'Ik denk dat het beter is als iemand anders nu eens zoekt,' zei de zoon van de kunstgeschiedenis, 'je zult trouwens ook heel geschikte foto's kunnen kopen; die truqueren ze wel op dat melige strand van ons.' Dat was ook nog een idee. Dan kon je teminste een erkende beauty pikken.

Ze vonden het reuze. Maar Tino mocht dan wel een zending laten komen. Foto's dan. Kijk uit.

'Hoe zeggen we het haar?' vroeg de priester. 'Zacht in ieder geval. Niet kwetsend of pijnlijk bedoel ik maar.'

'Ík zal haar zeggen dat ík het niet wil hebben en dat is waar,' zei de notaris met bevende lippen. 'Voor alle duidelijkheid heren: dat is waar. Ik wíl het niet, ze is beter gezelschap waard dan dat van paardekopers. En nu zeg ik nog niet eens paardedieven, als u begrijpt wat ik bedoel.'

Dat begrepen ze best en ze gingen vast staan. Dat hoefde gelukkig niet al te lang, want Gilda kwam er al aan. Nu weer met priemende ogen.

'Zeker niks, hè,' zei ze.

'Het is beter dat je je niet met zulk soort dingen inlaat,' zei de notaris. Hij vatte haar bij een hand, knikte naar de heren en vertrok van het terras, nagekeken door mamma, die een slet niet groette.

Toen Tino naar huis ging, zeer ontredderd maar met een wemeling van ondeugdelijke plannen in zijn rotkop, werd hij aangehouden door Benito. 'Wat moet je?' vroeg hij grimmig. Nou, Benito begon te zeuren over dat er toch wel iets aan gedaan kon worden aan die poep van zijn ezels. Hij zou er zorg voor kunnen dragen dat hij die, telkens als er iets op te ruimen viel, inderdaad zou verwijderen, zodat de badgasten er geen last van zouden hebben en de kinderen er in geen geval mee konden gooien naar de ouderen, of naar elkaar. Tino vreesde dat er geen beginnen aan was. Maar Benito vertelde hem toen zeer gekweld zijn zorgen voor ezeltochtjes in de bergen. 'De boeren boven gooien die mensen eraf en dat is nog het minste.' 'Nou, ík wil toch niet meer met die ezels verdienen... Jíj wilt het en dan moet jij ook maar uitdokteren hoe.' Maar of hij dan in ieder geval niet nog één keer zou willen proberen de burgemeester ervan te overtuigen, dat het met ezels ook zindelijk zou kunnen toegaan op het strand.

'Weet jouw Maria al, dat ze met me uit mag?' vroeg Tino. Nee nog niet, maar hij zou het haar vandaag nog vertellen. Tino keek Benito aan. Had hij nog wel zin om Maria te grijpen? Daar begon het al! Hij moest Gilda waardig zijn. Hij moest naar haar toegroeien. Hij zou zelfs wel moeten scheiden. Hij zou... Maar die Maria van Benito was een kind, dat wel iets had van Gilda zoals ze vroeger was. Niet die klasse, maar toch! Een oefenschool bij wijze van spreken. 'Je denkt toch zeker niet dat ik het voor de grap heb gezegd, dat van Maria... Voor wat hoort wat! Pallio vooruit!!' Benito knikte gedienstig, verdomd, alwéér gedienstig. Tenslotte liepen zijn ezels niet alleen iedere dag naar boven, maar hij ook. Als een ezel.

Enfin, Tino zou er met de burgemeester over spreken.

'Morgen?'

'Jezus, man, denk je dat ik verder niks aan mijn kop heb?'

Benito ging op een van zijn ezels zitten en reed naar huis. Hij vertelde aan zijn zoon Tonio, aan wie hij gewend was álles te vertellen, hoe het stond met Tino en Maria. Tonio was tegen. 'Eén keertje maar,' zei Benito smekend.

'En voor iedere nieuwe druk. Dat zei je de vorige keer.' Benito kon het niet ontkennen. Tonio zou het Maria vertellen, want hij vond dat te treurig voor een vader.

Tino ging een kip zitten eten in het visrestaurant. Er waren nog lelijke gaten in de exploitatie van Pallio, want niet eens was er iedere dag verse vis. Hij dronk er veel bij en wist zich maar steeds geen hemelse raad wat hij doen moest. Benito zou nu wel thuis zijn en hij kon meteen Maria opeisen. Hij kon ook naar een andere meid gaan, of bij een van de kamermeisjes van het hotel dat door hem daar een plaats gekregen had in bed kruipen. Ze zou nu al wel vrij zijn. Maar in alles wat hij zich voorstelde te kunnen doen, stond als een kazemat dat paars en oranje huis van Gilda in de weg. Hij zou naar dat huis kunnen gaan en het noodlot een duw geven.

Hij dronk nog meer en hij ging het hotel in. Meteen naar de bovenste verdieping waar het personeel huisde en hij klopte onbehouwen op de deur van zijn protégée.

Er werd niet opengedaan. Dat maakte hem uitzinnig van drift. Als die meid hem al niet opendeed, hoe mocht het dan wel met zijn noodlot staan? De portier zei, dat ze er toch moest wezen. 'Als je er nou ook nog bijvertelt in welk bed, dan kan ik die andere hufter er tenminste uit sleuren,' zei Tino fijntjes, maar de portier riep dat hij dat bij God niet wist.

Dus stond Tino, toen het al tegen middernacht liep opnieuw op het zandstrand. De zee was zo kalm, dat hij niet eens te horen was. Er brandden nog maar weinig lichten. 'Heerlijk, ik ben een beest,' mompelde Tino, 'maar wel op een eiland waar verder niets is.' De kroegen in het stadje waren dicht. 'Het zal me toch niet gebeuren dat ik naar mijn eigen wijf ga,' riep Tino op het marktplein zeer hard. De ramen van de notaris waren ook donker. Tino floot wat voor het huis, met ineens het idiote idee, dat Gilda daar misschien gebleven was, op haar gemak gebracht door de notaris en zijn oude mevrouwtje. Natuurlijk niet. 'Koeien heeft ze ook nog,' mompelde hij.

Kortom, hij stapte in zijn auto en reed opnieuw scheurend en kermend de bochten door, maar nu niet uit bravoure maar echt uit dronkenschap. Voor het kapelletje remde hij zo hard, dat zijn auto nog een tijd stond na te schommelen. Nergens licht. Bij Gilda natuurlijk helemaal niet.

Hij moest het anders aanleggen. Want er gingen bij de buren wel lichten aan, vanwege dat verschrikkelijke remmen van die auto. Met grote moeite keerde hij de wagen en reed het dorp weer uit. Daar zette hij hem langs de kant van de weg. Hij sloot hem af en stapte uit.

Een meter of veertig omlaag, langs een stenen trap, was een bron waar de bewoners vaak water gingen halen. Koel, helder bergwater. Daar zou hij zijn gezicht eens opfrissen en grote slokken onmiskenbaar echt water, water, water drinken. Hij merkte op de trap dat hij nog moest oppassen ook, om er niet af te stuiken. Hij was dronken. Niet te dronken, maar toch echt bezopen. Op de onderste tree bleef hij zitten en keek naar beneden.

De bron had niet veel ruimte. De bergwand ging onmiddellijk erachter steil omlaag. De overgebleven lichten van Pallio beneden maanden hem, hoe diep wel.

Er lag een gummislang en er stond een volle teil. Hij ging op zijn knieën voor die teil en slobberde als een hond. Toen maakte hij overdadig zijn gezicht nat, maar ook zijn overhemd flink. Niet opzettelijk. Toen struikelde hij en viel met zijn natte handen in het steengruis. Hij kroop een beetje rond, zoekend naar iets om zich aan op te hijsen en de diepte ruikend.

Weer als een hond.

Het zou beter zijn als hij over de rand heen, hoepla-kee de diepte in.

Hij kroop daar hijgend naar toe, naar die diepte, naar de uiterste rand dan en hij keek naar beneden, maar niet alleen met zijn ogen, maar met zijn hele lichaam. En doordat zijn natte handen van binnen zo zacht en zo toegankelijk waren voor het steengruis, waar hij nu met zijn volle kracht op drukte leek hij van binnen wel helemaal gevuld met dat gruis, nat van bloed en drank. Zijn hele lijf was één groot troebel oog geworden en het keek zwaar hijgend en steunend het afwachtende donker in, waar wat licht in was van straatverlichting en van de enkele huizen, waar nog mensen niet naar bed waren. En er steeg geblaf van honden uit op.

Tino liet zich wat naar voren hellen en hij dacht lomp terug aan mechanicalessen die hij vroeger wel gehad had van steunpunten van een ladder en de hoek van een ladder tegen een muur. Hij had juist géén steunpunten, begreep hij. Zijn kop zou er een moeten zijn, als hij nog dieper voorover boog. Hij grinnikte. 'Nog niet... Nog niet, hoor...' zei hij naar beneden.

Hij miste ineens een staart achter aan zijn rug, die hij zou moeten hebben om ergens omheen te slaan, zodat hij er zich mee vast kon houden, als hij nog verder voorover ging hellen, want dat wou hij toch. Het was voor het eerst van zijn leven dat hij een staart miste. En trouwens ook iets om die omheen te krullen, want de teil waar hij zojuist uit gedronken had, was ongeschikt. Al zat er misschien een oor aan om die staart door te steken, hij zou hem toch meeslepen, er zou geen redden aan zijn. Hij grinnikte grof en zei dat ze Tino dan toch niet kenden als ze dachten dat die zijn staart door het oor van een teil zou steken, die niet zwaar genoeg was om hem tegen te houden.

Hij liet nu zijn achterwerk wat zakken en strekte zijn armen. De honden blaften als dol, met Kienko aan het hoofd, maar dat wist Tino niet, want hij kende dat hondje nog niet goed genoeg. Zo bleef hij het donker in loeren. Wat was er toch gaande dat hij hier maar niet weg kon komen? Een stuk vuil was hij, een stuk vuiligheid, dat eindelijk eens naar huis en naar bed moest. Hij zag Gilda weer staan in de deur van het terras. Het was geen geheim meer hoe ze naakt was. Ze leek naakt de hele ruimte onder hem wel te vullen. Wat was het toch heerlijk zó'n stuk vuil te zijn, dat hij zich tóch zou willen meten met dát naakt. Hij kwijlde en bleef opzettelijk doorkwijlen. Een mooi stuk mens ben ik, dacht hij. En toen begon hij ineens half voor de lol, half protesterend met de honden mee te blaffen en hij tilde een hand los en zette hem met grote kracht weer in het gruis om zich pijn te doen.

Toen ging hij zitten, onmiddellijk begrijpend dat hij niet moest gaan liggen, want dan ging hij toch nog de diepte in, want zijn achterste was vlak voor de rand terechtgekomen. Hij pakte zijn enkels vast en zat voorover gebogen en na een tijd begon hij te huilen. Niet zozeer uit inkeer, als wel omdat hem te kort gedaan was Gilda nog niet te hebben; haar zo en zo lang te hebben dat hij het verder wel geloofde en haar dan kon laten barsten. Maar dát zou wel een poosje duren, wist hij en in plaats van verder te huilen lachte hij nu weer en begon opnieuw, nu ineens vrolijk, met de honden mee te blaffen. 'Met de vieze hondjes, die willen naaien,' riep hij. Daarna kroop hij bezorgd voor zijn hachje de veertig meter trap weer op, die de weg boven scheidde van de bron.

Gilda lag wakker. Niet alleen door het blaffen van Kienko. De notaris had haar zo ongeveer meegetrókken uit het gezelschap op het terras vandaan. Hij had haar daarna bewogen en langdurig over de ellendigheid van die mensen daar onderhouden, zich uitvoerig schuldig verklaard aan een verkeerd advies en haar verstand boven het zijne geprezen, omdat ze hem gevraagd had om mee te gaan. 'Ik weet wel, dat je op je zelf gepast zou hebben,' riep hij telkens. 'Dat weet ik best, maar o, ze zijn zo gevaarlijk en wie met pek omgaat...'

Evenmin als hij had Gilda nog omgekeken naar het gezelschap dat ze juist verlaten hadden. Waarom had ze het gedaan, dat showpakje aantrekken? Want dat had ze dan toch maar gedaan. Die vraag hield haar in het donker van de nacht en in de goed gekende en altijd eendere beschutting van het slaapkamertje maar steeds bezig met geen ander resultaat dan dat ze iedere stap achter de burgemeestersvrouw aan nog precies wist, de stille badkamer vol spullen van de hele burgemeestersfamilie, de rust waarmee ze zich had uitgekleed en de nieuwsgierigheid waarmee ze het badbroekje en het bovendeel aan had getrokken en omgedaan. De vluchtige blik die ze op het resultaat in de spiegel had geworpen en haar verwachting waarmee ze terug was gegaan naar het terras; toen toch al heel goed wetend dat de foto wel zou worden afgeblazen. Haar moeder had vroeger altijd Gilda's bevalligheid met een duwtje in de richting van haar vader onderstreept, als ze een nieuwe jurk had gekregen die aan haar vader getoond moest worden. Hij zei dan nooit iets en keek meteen weer van haar weg. Hij bromde ook wel eens: 'Het is wel goed zo', voordat hij weer een andere kant op keek. Voor haar moeder moest hij dan altijd nog meer zeggen dan dat. Maar dan stapte hij op, mompelend dat hij nog wat moest doen.

Toen ze vanmiddag in de deur stond en aanvankelijk niemand haar opmerkte, had ze daaraan gedacht. En vermoedelijk had dat haar bewogen om óók nog naar de mannen op het terras toe te lopen, hoewel ze natuurlijk wel wist dat kerels... En nu wist ze maar niet of ze dat niet had moeten doen, of toch! Ze kwam er niet uit. En ze betreurde het nu zelfs dat de notaris er meteen een eind aan had gemaakt. Ze was er toch altijd zelf nog bij. En bovendien ging het maken van de foto morgen om twaalf uur nu wel heel onverhoeds niet door!

'Koest Kienko,' riep ze naar het open raam.

Daarna sliep ze in. Morgen werd een dag als anders. De koeien, de mest, het voer, de melk. Een dag als anders is dat pas, als het in je gaat knagen. Dat was haar slotsom, toen ze insliep.

Er waren vier gasten in het badhotel van Pallio die zich daar uit hun voegen verveelden. Want op alle manieren was het zandstrand van het plaatsje wel beter dan het grauwe keienstrand dat er eerst was, maar verder was alles toch eigenlijk nog overwegend de droom van Tino, de burgemeester, diens zoons en de aannemer. En al hebben veel badgasten er genoeg aan om de hele dag in de zon te liggen en af en toe de zee eens in te stappen, op een gegeven ogenblik moeten al die bruin wordende lijven toch alweer eens een verzetje hebben, worden beziggehouden en geprikkeld. Dat kan door buitengewoon lekker eten, maar wat dat betreft bleef het mopperen in Pallio. Er waren behalve het badhotel en het visrestaurant ook wel een paar boerse eetgelegenheden in het dorp zelf — waar zo écht alleen maar het volk zelf kwam — maar de keuken daar stelde nog minder voor dan de op grauw karton met krijt geschreven mededeling dat men daar eten kon, al deed vrezen...

Bovendien kon men langs één weg de berg op en weer af met de auto, maar dan belandde men boven bij de boerenherberg met die stationshal voor bruiloften en vond daar een even norse waardin als de waard achterdochtig was; en na een half uur roepen dat het daar allemaal zo authentiek was, verdwenen vreemde gasten verstild en ongelaafd maar weer naar Pallio, nadat de vrouwelijke toeristen al die tijd tevergeefs geprobeerd hadden de kinderen van de waardin tot een glimlachje, of in ieder geval iets aardigs te bewegen.

Wanneer Benito met grote voorspoedigheid zijn ezels op het zandstrand als vermaak in had kunnen schakelen, zou hij vermoedelijk alleen maar op schrijnende wijze de pijnlijke tekorten van Pallio hebben geaccentueerd. Het geld dat hij voor die attractie had kunnen innen zou hem hoogstwaarschijnlijk spottend zijn uitgeteld of nijdig in zijn hoed zijn gesmeten, die hij zich had voorgesteld enigszins artistiek op te houden om de baten in te ontvangen.

Vier gasten die voor een hele vakantie geboekt hadden waren een directeur van een spaarbank, Igor, diens vrouw Hertha, een in Pallio als medegast aangetroffen landgenoot, die leraar was en ook wel eens schilderde, plus de zoon van de bankdirecteur, George geheten (oud twaalf jaar), deden alles samen. De drie volwassenen moesten erkennen dat hun verveling nog niets was vergeleken bij die van George, die in het geheel niets zag in het zo lang op het zand in de zon liggen dat hij insliep. Dat verplichtte de anderen om toch veelvuldiger de auto te nemen en de nietszeggende oudheden in de buurt langer te bezoeken dan ooit iemand tevoren had gedaan. Op een gegeven ogenblik was het zover dat Georges vader met duidelijke tegenzin dan maar de lange weg naar boven te voet aflegde, samen met zijn zoon, in plaats van per auto.

De leraar en Hertha maakten daar van de eerste keer af aan gebruik van, om gedurende de staalzekere afwezigheid van de twee bergbeklimmers, het zand van het strand te verwisselen voor het bed van de leraar; zodat ze alle vier, elkaar weer treffend aan de eettafel met het uitzicht op steeds weer dezelfde zee, in ieder geval eetlust hadden. Hoe melig die ook werd gehonoreerd in het badhotel.

Een vakantie duurt op die manier lang en de burgemeester die in ieder geval ogen in zijn kop had, sprak het viertal, op een dag voor de lunch van het strand komend, aan en maakte een praatje dat erop uitliep dat hij ze uitnodigde voor een aperitief of een koele dronk op zijn terrassen. Des middags dienden dus zowel de wandeling als het stoeien een weinig bekort en Tino trof toen hij zijn dagelijkse gratis bier kwam halen de vier buitenlanders aan in de kring. De conversatie werd overwegend gevoerd door de zoon die de kunstgeschiedenis had bestudeerd, want die

sprak tenminste een weinig Frans en een paar woorden Engels en het kon niet anders of de burgemeester
en de aannemer lieten hem vertalen welk een uniek
badplaatsje Pallio was. De gasten gingen zich echter
geenszins te buiten aan geestdriftige kreten. Integendeel: er zou wat meer pep in gebracht moeten worden.
Men verzekerde hun dat binnen enige jaren een casino de inventaris zou gaan verrijken, maar daar hadden de gasten van dit moment niets aan. Hun werd
uiteengezet dat een casino op dit ogenblik nog geen
zin had; het aantal der gokkers zou nog te gering zijn.
'De pinnen van de roulettes zouden roesten,' zei de
burgemeester spiritueel en dan zou de bank onophou-
delijk winnen.

Maar of zij dan niets konden voorstellen. Verdere
verlangens hadden?

De leraar en Hertha hadden die niet; integendeel,
hun voeten zochten elkaar ook hier, vrijwel onder de
ogen van de anderen, maar George en zijn vader zouden wel eens duidelijk aangegeven en iets boeiender
bergwandelingen willen dan de hele tijd die ene naar
dat 'onmogelijke ding waar niets te krijgen is'.

'Binnenkort komt er iets,' zei Tino toen ineens.
'Benito en zijn ezels...!'

'Aanmenooitniet,' riep de burgemeester al driftig,
want die dacht weer aan de mest, maar Tino zei dat hij

zich stil moest houden. 'Een unieke bergtocht... Op ezels!' George was ogenblikkelijk geestdriftig. Hij nam een ruiterpositie aan en klakte vaardig met zijn tong.

De burgemeester kon moeilijk laten blijken dat het voor hem ook een nieuwtje was, maar hij keek vragend naar Tino. 'Ik ben met Benito in onderhandeling,' zei hij, 'en we zijn het bijna eens...'

'En de bergboeren dan?' vroeg de aannemer.

'Die zullen als steenbokken gaan klimmen,' riep Tino. 'De hoogste halte van de bus is maar een paar uur lopen.' Dat was zo. Als de bus daar even stond, rolden van alle kanten zwarte vrouwen van de berg om hem als de bliksem nog te halen.

De aannemer keek bedenkelijk. 'Je kan toch voor die badgasten de mensen daar boven niet laten stikken,' zei hij. 'Dan stuur je de hele boel in de war.' 'Alleen maar gedurende het seizoen, alleen maar gedurende het seizoen...' riep de burgemeester naar de gasten: 'Benito, prima, ezels, donkey, I-a, I-a.' Nu, de badgasten waren benieuwd. 'Dan moeten jij en George het eerst maar eens gaan proberen,' zei Hertha tegen haar man. 'Nee, we gaan nu eens allemaal samen, hoor,' riep George. 'Ik heb wel eens zo'n tocht gemaakt,' zei de leraar, 'maar die beesten snijden dwars door je kruis heen. Tot je adamsappel snijden ze door je heen, verdomd als het niet waar is.' 'Goed dat ik geen adamsappel heb,' zei Hertha. 'Of niet??' vroeg ze, ten zeerste de blik van de leraar vangend. 'Nee, dat is maar goed,' antwoordde hij en zijn voet schoot alweer gul naar haar toe.

Toen ze weg waren, moest Tino nader over de brug komen. Hij zei dat hij het maar gegokt had, doch dat er met een beetje moeite best een pad te vinden zou zijn dat Benito's ezels zouden kunnen belopen. Benito's zoon Tonio kende hier het gebied als niemand anders en Benito zelf zou het zeker niet doen als het een beetje al te gevaarlijk was. 'Ik heb es een vlieger gesproken en gevraagd of het nou niet gevaarlijk was voor de passagiers, toen we op een klein veldje een landing moesten maken en die man zei en dat heb ik nooit vergeten: mijn eigen nekkie telt nog altijd het zwaarst.'

Dat vonden de anderen ook behoorlijk filosofisch en dat gold zeker ook voor Benito van wie iedereen wist dat hij aanstalten maakte voor een rustige oude dag.

Daarna bespraken ze verontrust de geringe geestdrift die de gasten voor Pallio ten beste hadden gegeven. Vooral de aannemer was hier somber over, want hij zag er toch al niet zo veel meer in en was eigenlijk van plan om zijn aandeel aan de hele affaire over te doen aan de burgemeester; want als het een beetje wil-

de zou in de winter al het zand van het strand óf weg-
gespoeld worden, met de regens óf als koffiedik door
de keien die eronder lagen verdwijnen. En nog eens
zo'n hoop zand weghalen van het strand aan de andere kant van het schiereiland zag hij niet zitten. De
laatste transporten had men daar al willen verhinderen en een van zijn chauffeurs had een kei door zijn
ruit gekregen.

De enige mogelijkheid leek hem om de zandgletsjer die als een vlaggende schande tegen de berghelling
aanhing, in beweging te krijgen. Dan zouden zijn
zandauto's bij wijze van spreken vanzelf vollopen.
Maar zouden de mensen dát pikken? Kortom, hij was
zorgelijk en hij wou dat hij maar vast dromeloos achter Gilda lag, nacht na nacht, jaar na jaar en in een
mooi huis dat hij voor haar zou laten bouwen.

Tino ging dit keer uit eigen beweging naar het huis
van Benito. Hij trof er Maria aan, die zei dat haar vader er nog niet was. 'Dat is wat,' zei Tino, 'iedere dag
die tocht naar boven voor die oude man.' Maria lachte
en zei dat haar vader nog helemaal zo oud niet was:
maar Tino vond dat je duidelijk aan hem zag dat hij
ouder werd. 'Kinderen zien dat niet zo, die maken
hem iedere dag mee,' maar hij, die de brave man alleen zo nu en dan ontmoette, zag het wel degelijk. 'Ik
heb trouwens iets voor hem verzonnen,' zei hij tegen

Maria. En zij, toch wat verontrust dat haar vader klaarblijkelijk zo oud werd, vond dat aardig van hem. Tino verzekerde dat we elkaar nu eenmaal een beetje moeten helpen als daar gelegenheid voor is en Maria antwoordde dat je daar hier in de buurt anders weinig van merkte.

Toen kwam eerst Benito naar binnen, die met buitengewoon veel tegenstrijdige gevoelens Tino bij zijn dochter zag zitten. En nadat hij de ezels gevoerd had, verscheen ook Tonio die al even hard met gevoelens te kampen kreeg, zij het dat die niet tegenstrijdig waren.

Tino bracht ter sprake of er niet een andere bergrit met de ezels gemaakt kon worden dan die langs de boerderijen, want hij was het helemaal met Benito eens, dat zo'n tocht nooit een succes kon worden.

'Ja, de Srotta natuurlijk, maar die is...'

Ja, die is onmogelijk, dat weet iedereen.

Van Pallio uit kon je drie bergen op. Links een langzaam glooiende, rechts die met de top zonder balustrade, vanwaar je de zee aan allebei de kanten van het schiereiland kunt zien. En in het midden de Srotta, een rare puntige kam van niets dan rots en nog eens rots, tussen de twee andere bergen die vriendelijk en bewoonbaar zijn in. Kam dient vrij letterlijk genomen te worden, want door een speling van de natuur zou je kunnen zeggen, maar niemand zou erop komen om de woordjes speling of natuur in zijn mond te nemen, kijkend naar die gruwelijke rotsenrasp; door een speling bij het buigen of barsten van de stollende aardkorst, is die van geen leven op de aarde wetende Srotta als een scherf omhoog komen te staan. Dat wil zeggen: alles begint nog heel redelijk met begroeide glooiingen links en rechts, maar naarmate het dan nog aanwezige vage pad hoger komt, worden die steiler, tot op het laatst, voor wie genoeg door God verlaten is om verder te willen, een soort koorddanserswerk ontstaat met aan alle kanten niets dan doodsmak.

Helemaal bovenaan is de punt plat (met goede wil kan men van een minuscuul plateautje spreken), daarachter gaat het loodrecht omlaag en die loodrechte wand voegt zich dan met bevallige slingerlijnen in een aansluiting met de beide andere bergen. Door de kale ramen van de bruiloftenzaal kijkt iedereen die dat zou willen uit op de Srotta, maar wie het dan inderdaad doet, bewust doet althans, kijkt maar weer gauw voor zich op tafel, want starend naar die berg moet je je wel afvragen of het eigenlijk wel de bedoeling is geweest dat er leven op aarde ontstond.

Niettemin klommen er wel mensen uit de buurt op de Srotta. Zelfs buitenlandse bergbeklimmers, voor wie de wereld van uitdagingen aan elkaar hangt. Men vertelde altijd dat er ook wel mensen af waren gevallen.

Om er met een ezel op te gaan was nog nooit in ie-
mands hoofd opgekomen. Tonio was er met zijn
vriend Aido wel vaker op geweest. Ze hadden er niet
eens zo veel drukte van gemaakt. Er was nu eenmaal
altijd te veel vertoon van houwelen en touwen bij de
buitenlandse bergbeklimmers.

Maar met ezels...

Als je er goed over nadacht kwam volgens hem iemand alleen maar niet op het idee om met zo'n beest
naar boven te gaan, omdat er geen enkele reden voor
was: boven wás niets. Er hoefde niets naar toe gebracht en er kon niets gehaald worden. Van al die ver-
standige overwegingen zei Tonio echter niets; wel
zocht hij de volgende dag Aido op, aldus redenerende:
als die ezels toch niet op het strand mogen en bovendien niet met toeristen hun gebruikelijke route mogen
lopen, dan is een tochtje de Srotta op iets unieks dat
wij zélf bedenken en dan komt het zeker in de toeris-
tenfolder. En Maria hoeft dan niet eerst...

De zondagmiddag daarop tuigde Benito eerst Tonio
af en toen de ezel die hij mee had gehad op zijn tocht,
samen met Aido naar de top van de Srotta. Eerst
ranselde hij de verkeerde ezel af en toen de goeie en
Tonio stond er mokkend bij, want wat had die ezel gedaan? Alleen maar de Srotta bestegen als de eerste

ezel van de wereld.

Toen Benito een paar dagen later wat tot zichzelf was gekomen, drong het pas tot hem door dat het dus kon. En daarna moest Tonio alles vertellen en die haalde tot staving van de onopgesmukte waarheid Aido ook erbij en ze zeiden met veel genoegen bereid te zijn om het de volgende zondag nog eens te doen. Allebei op een ezel. En als Benito het met zijn eigen ogen wilde zien eventueel met drie ezels. Ze gingen die volgende zondag inderdaad met zijn drieën en Maria die van het begin van de middag af naar ze stond uit te kijken, zag ze ongedeerd terugkeren. Het trof haar nu ook, dat haar vader er inderdaad oud uitzag, maar Tonio en Aido waren vrolijk.

Er waren op die manier al twee zondagen voorbij gegaan voordat George en zijn vader en moeder en de leraar vernamen dat er echt een bergtocht op ezels gehouden zou worden en aangezien ze donderdag weg zouden gaan, diende dat uiterlijk op woensdag te gebeuren.

'Een mooi afscheid van de bergen,' zei Tino en hij verzekerde dat ze tijdig genoeg terug zouden zijn om daarna nog te zwemmen en afscheid te nemen van de zee.

Overigens droegen al deze dingen ertoe bij om de verwarring in Tino groter te maken. Dit initiatief van

Benito maakte die man inderdaad ietsje onafhanke-
lijker van Tino, omdat het zo koen en zo ongewoon
was. Nu die mensen woensdag al wilden gaan, was er
geen sprake van dat de folder al klaar zou zijn; en de
roep die van de onderneming uit zou gaan, maakte
vermelding in de folder bovendien minder belangrijk.
Het zou nog een rotfolder zijn ook, wanneer dít er niet
in vermeld stond. Toen hij dus ten huize van Benito
verklaarde dat Maria de avond vóór de tocht met hem
mee uit mocht, vernam hij dan ook van Benito zowel
als van Tonio dat daar geen haast bij was en Maria, die
best eens uit wou, riep: 'Goh, mocht ik met u uit??'
Men had er dus niet eens van gerept! Voor wie hielden
ze hem wel.

De aannemer vond het niets, de hele onderneming
niet en de manier waarop ook niet en vooral niet omdat het hele groepje naar zijn smaak jammerlijk om
zou komen. Voor de burgemeester was het ook wel een
beetje een gewetensconflict, maar Aido en Tonio
spraken zo licht over de onderneming, of het alleen
maar gek was dat deze schitterende bergtocht nog
nooit eerder met ezels gemaakt was.

'Ze hoeven alleen maar te gaan zitten, de rest doen
de ezels,' riep Tonio met glanzende klem.

Kortom, George verheugde zich erop, zijn vader
gunde hem de pret, Hertha bleef liever thuis, maar de

leraar was een beetje uitgeput van haar en koos voor de ezels. De priester en de kunsthistoricus trokken hun handen ervan af, zeiden ze. Als die mensen dat nou wouën en bovendien: wie weet wérd het een attractie!

Dat was op de dag vóór de tocht de stand van zaken. Tino had het lef niet om het nu de reizigers nog tegen te gaan maken, of met sombere waarschuwingen te komen. Hij wist met grote zekerheid dat het mis zou lopen en dat hij nog een stuk van de schuld zou krijgen, omdat hij het was die op de terrassen zo over die ezels had zitten drammen, dat de doorbraak toch gemaakt was. De notaris was eigenlijk de enige die alles af zou kunnen laten blazen. Die man had zo'n gezag, dat hij het gewoon zou kunnen verbieden, net als hij Gilda had verboden om zich te laten fotograferen. Maar Tino was niet de aangewezen persoon om de notaris te overreden om tot dat verbod over te gaan. Integendeel, de oude man zou wel iets smerigs achter het relaas van Tino vermoeden.

Overigens begreep Tino niet, dat niemand in Pallio zich er druk over maakte. Dat kwam dan weer omdat de mensen in Pallio compassie hadden met de boeren boven. Ze vonden het een misselijke onderneming van de duitendief Benito en het moest maar een geval van 'eens, maar nooit weer' worden. Dat wist Benito nu weer niet, evenmin als hij wist dat de boeren boven allang wisten waar hij op uit was en een plan beraamden om hem eens en vooral op andere gedachten te brengen, al op de eerste dag van zijn nieuwe onderneming. Dáár had een leerling van Tino dan weer wel iets van vernomen en het had Tino wel een uur les gekost om dat jongmens duidelijk te maken, dat hij daar niets van in zijn krant mocht zetten, hoeveel vreugde het de hele streek ook zou verschaffen om eventueel getuige te zijn van 'het', dat de boeren in het hoofd hadden. De jongen voelde zich met die verdonkeremaande primeur bijzonder in zijn eer getast en toen hij na Tino's les mokkend naar huis ging, zag zijn leermeester al wel aankomen dat hij binnenkort zou moeten beginnen aan de opleiding van een nieuwe leerling en dat hij een tijdlang de zaken niet zou kunnen overlaten, zoals aan zijn tegenwoordige leerling wel, ondanks diens alternatieve inzichten.

Kortom, aan de vooravond van het gebeuren was er heel wat dat gistte, toen Benito en Tonio de vijf ezels een zo knap mogelijk uiterlijk probeerden te geven en de vijf door Maria uit een oud tapijt gesneden zadels, of wat zij in ieder geval zo noemden, nog eens pasten, voordat ze de dieren achterlieten in het donker van hun stal. Zowel de zoon van de burgemeester die kunstgeschiedenis had gestudeerd, als de zoon die om nooit opgehelderde reden geen priester meer was, waren in de loop van die dag naar de stad vertrokken waar ze plotseling besognes hadden, naar ze verzekerden en de burgemeester had urenlang met alleen de aannemer op het terras gezeten. Hij had nog wel enige aandrang gevoeld om George en diens vader uit te nodigen, toen die terugkeerden van hun wandeling, maar nu zijn zoons er niet bij waren, zou hij door zijn gebrekkige talenkennis niet veel meer kunnen doen dan 'I-a' roepen in het verband met het tochtje van de volgende dag; een echt gesprek zag hij niet zitten.

Daar kwam nog bij, dat de aannemer van de gelegenheid gebruik maakte om te zinspelen op een rustiger leven en dan met name misschien wel bereid te vinden was om zijn aandeel in de voorspoed van Pallio af te stoten.

De burgemeester voelde meteen dat dit geen zuivere koffie was en zat zich zwijgend vrijwel letterlijk het hoofd te breken, waarom. Er zat ondergang in de lucht, dat was duidelijk. 'Samen uit, samen thuis,' zei hij dan ook maar om op dat punt geen illusies te wekken en vervolgens trof hij de aannemer toch weer als de onuitroeibare schavuit die hem zo vertederde, door ineens te zeggen: 'Weet je wat we integendeel moeten doen: dat zand van ons dat tegen de berg hangt, omlaag halen! In de eerste plaats is het geen fraai gezicht, zal ik maar zeggen — ik heb nu de natuurvrienden op het oog — en in de tweede plaats: als van de winter het strand hier zijn ware keienaard weer laat zien, dan moeten we toch ergens zand vandaan halen. En bovendien,' schaterde hij, 'het is al betaald, dus dat hoeven we niet nog eens te doen.' De aannemer die al helemaal op somber gluren stond, moest toch lachen om dat 'het is al betaald'. 'Aan jou blijf ik altijd vastgeplakt,' zei hij en hij dronk zijn glas leeg en hield het weer op. De burgemeester vulde het plenzend.

Daarna gingen zij middelen na om die gletsjer in beweging te krijgen, die het begrip corruptie voor iedereen die niet een totale hals was, als een lichte baan in het landschap had vastgelegd. Want 'Wat doet al dat zand daar?' riepen mensen die niet bekend waren in de streek, als ze het tegen de bergwand zagen. En de mensen die wel uit de streek waren, grijnsden dan en zeiden: 'Wou je dan dat híér geen slechte mensen woonden?'

Toen het donker was zei de aannemer, dat hij hier en daar eens raad zou gaan vragen en de burgemeester riep hem nog na dat hij zijn smoel moest houden tegenover Tino, 'die rottige krielhaan die iedereen voor zijn poten loopt'. 'Reken maar,' riep de aannemer veel te luid terug. Hij zakte eens wat door zijn knieën,

84

ten einde zijn geslacht een weinigje meer ruimte te geven in zijn broek en vroeg zich voor de zoveelste maal af, of hij niet linea recta naar het huisje van Gilda zou rijden om gevuld met nieuwe durf in zaken en nieuwe wind mee, het gewoon maar te wagen en te doen. Hij achtte zich echter net even te dronken om eventueel nog iets redelijks of overtuigends te zeggen bij zijn aanzoek en reed in zijn zware wagen naar zijn grote huis, als een steenklomp tegen de berg. De twee meiden die zijn huishouding deden waren al lang naar huis en hij spoedde zich naar bed.

Tino was op dat moment volstrekt niet dronken. Integendeel, hij had het na het mokkend wegstappen van zijn leerling zo ontzettend met zichzelf te doen gekregen, dat hij thans te goed was voor drank. 'Wat ík de laatste tijd heb?' had hij zelfs tegen zijn vrouw gezegd, '...ik weet het niet, maar ik voel me allesbehalve goed.' 'Je hebt te veel aan je hoofd misschien,' zei ze, zonder hem aan te kijken, en raar voor zich uit. 'Iedereen leeft het leven dat het beste voor hem past,' zei Tino en als dat een spreekwoord uit de streek was, dan was het een eigenzinnig spreekwoord. Het sloeg nergens op. 'Iedereen doet maar een beroep op mij,' zei hij even later. 'Ik ben zelf een soort pakezel,' weer na een tijdje. Ja verdomd, hij was een soort pakezel. Het was maar schijn dat hij het nogal genoeglijk had, plus iedere dag die zekerheid van een goed glas op het terras voor nop. En wat had hij hier thuis? Bij die scheve geit van hem en die rotmeubels. Je kon het niet eens een interieur noemen. En dat beetje liefde waar iedereen toch recht op heeft? Waar zat dat eigenlijk? Maria! Die avond met haar, daar zou hij echt iets van gemaakt hebben. Jong en stevig was ze als alle meisjes die 's ochtends vroeg al hun blote voeten over het asfalt van een hellend pad laten kleppen, vast niet zo onschuldig als die kinderen eruitzien en vast en zeker onder de indruk van zijn auto en het badhotel, waar hij eerst met haar zou zijn gaan eten. 'Daar is geen haast bij,' hadden die stomme ezeldrijvers gezegd. Tegen hem. Daar is geen haast bij, stuk stront.

'Waar ga je naar toe?' vroeg zijn vrouw, toen hij ineens rukkerig als door enige bewogenheid, naar de deur liep. 'Gaat jou dat soms wat aan?' riep hij nog en toen hoorde ze zijn auto.

Tino reed naar de bron, waar hij die nacht water had gelebberd en zijn gezicht nat had gemaakt en over de rand had gehangen. Hij liep de trap af en ging weer op de onderste tree zitten. Er was gelukkig niemand. Hij keek naar het landschap beneden zich. Het was mooi. Daar ging niets van af. De mensen waren nijver, dat kon je van hier af zien. Langs de wegen onder je zag je carriers gaan en je hoorde de toeters van de autobussen, die dan even later de een of andere bocht om kwamen. Het was mooi en het was vredig. Het zou eigenlijk de mensen die erin leven, ook vredig moeten maken, dacht Tino, maar hij wist wel beter. Ja, Gilda en haar vader en haar moeder destijds, die waren zeker vredig geweest met hun drieën. Iedere gedachte die hij de laatste tijd had, eindigde met Gilda. Dat was zo en dat bleef zo.

Maar aangezien hij nu niets gedronken had en in een stemming was van zeer rechtvaardig zelfmedelijden, zag hij het dit keer niet als een uit zijn onderlijf wellende gekweldheid, maar als een groot drama. Hij, de man die deze hele streek bij wijze van spreken in zijn zak had, die van alles wat er omging in ieder geval wel iéts afwist, die de mensen hier doorzag, ze hielp of tegenzat, hij zelf had niets; nooit eigenlijk! Hij had recht op Gilda. Hij had er recht op dat ook in zijn leven iets was, dat hem vervulde. Zij was alleen. Hij was alleen. Ze hoorden bij elkaar. Dat was rechtvaardig.

Tino dronk weer wat water en hij vond het zuiver en helder. Zoals hij zelf zuiver en helder was. Toen snelde hij de trap op, stapte in zijn auto en reed naar het dorp van Gilda. Hij zette de wagen niet, als de vorige keer, buiten het dorp langs de weg, maar stopte voor haar hek. Toen hij stil stond, toeterde hij zelfs een keer om zijn komst 'zuiver' en 'helder' te maken en toen ging hij, vlak voor de neus van de mannen en kinderen die op de stoep van de kapel zaten voor de oranje deur van Gilda's huis staan, die op een kier stond en riep haar.

'Kom er maar in,' hoorde hij en toen stapte hij Gilda's huis binnen.

Ze had eigenlijk gehoopt dat hij nog eens zou komen, want haar leven was niet rijk aan gebeurtenissen en ze wilde toch óóit eens met iemand spreken over de foto. Ze zei dan ook: 'Ik had eigenlijk al wel eens iemand verwacht, na die middag.' 'Een van de zoons van de burgemeester zeker,' zei Tino. 'Nee, waarom? Het was voor mij een heel ding, die foto en het was al afgelopen voordat het begonnen was.'

'We hebben nu een foto,' zei Tino. 'Je weet wel, zo'n meissie.' 'Ik dacht wel dat ik vast en zeker niet in aanmerking zou komen,' zei Gilda en ze keek Tino priemend aan.

'Lieve schat, voor mij ben je de mooiste van dit hele gebied. Voor ons allemaal toen, trouwens. Prijs je gelukkig dat je niet van dat reclame-mooi bent.'

'Maar eerst zeiden jullie dat je dat juist niet wou. Sereen werd er toch juist gezegd. Ja, ik weet niet hoor, wat ze daar precies mee bedoelen.'

'Onbedorven,' sprak Tino. 'Een beetje heilig, niet zo van vreet me maar op.'

'Heilig,' lachte Gilda. 'Dan moet je aan de overkant zijn. Stenen poppen van gips.' 'Stenen poppen van gips... die Gilda,' joelde Tino.

Gilda vroeg of hij wijn wilde. Ze ging naar de stal en zocht een fles van het vorige jaar. Tino keek de kamer rond, stond op en opende de deur van Gilda's slaapkamertje. Het rook er fris. Het bed was niet al te smal. Hij ging snel weer zitten toen hij haar op de trap hoorde en het eerste wat zij zag was dat de deur van haar slaapkamer, die zojuist dicht was nu duidelijk op een kier stond. Ze prees de wijn aan. 'Mijn vader maakte op het laatst hele goeie.' Nee, zij deed dat niet meer. 'Alleen de koeien doe ik nog,' zei ze.

'Wat ik je zeggen wou, ik probeer Benito te helpen. Wat vind je van deze tekst voor onze folder,' vroeg Tino en hij haalde een velletje papier uit zijn portefeuille. '*Een unieke mogelijkheid voor degenen, die na lome dagen op Pallio's heldere zandstrand eens op een sportieve manier beweging willen nemen vormt een grandioze bergtocht naar de top van de beroemde Srotta. Benito met zijn vijf ezels, een al welhaast legendarisch begrip, vindt men in een huis aan de rand van Pallio. Deze ervaren berggids leidt de tocht naar de middelste van de drie bergtoppen die van uit de zee gezien het silhouet van Pallio be-*

palen. Van die top heeft men een overweldigend uitzicht
op de twee vriendelijke bergen die de Srotta flankeren.

Boven op de top gekomen verstrekt Benito de deelne-
mers aan de zeer sportieve bergtocht dranken en de ge-
rechten, door zijn dochter Maria met zorgzame hand be-
reid. Ze worden door Benito of door diens vermetele zoon
Tonio — op en top kind van de bergen — geserveerd, voor-
dat de boeiende terugreis weer wordt aanvaard.' Tino
keek Gilda aan. 'Ze maken er wat van, hier, tegen-
woordig,' zei ze en even later: 'Dat gaat net zo lang
goed, tot er iets gebeurt.'

'Ik vind dat "op en top kind van de bergen" zo goed,'
zei Tino, "en de zorgzame handen van Maria". Dat
schept vertrouwen. Als de mensen met die gedachte
naar boven gaan, zullen ze niet meer bang zijn voor de
afgronden.'

Gilda haalde haar schouders op en zei dat ze gehoord had, dat de eerste tocht de volgende morgen
zou beginnen. Ze vroeg Tino wie de gekken waren die
gingen en Tino vertelde dat het buitenlanders waren
met een zoontje en dat de moeder het hield met een
andere man die erbij was (want dat had hij van de portier van het badhotel gehoord). Hij had ze ontmoet.
Op het terras van de burgemeester.

En daar was dat terras dan weer. 'Ik wist me geen
raad, toen,' zei Gilda. 'Toch kreeg ik die keer gelijk,' zei

Tino en hij schoof zijn stoel wat naar haar toe. 'Hoezo dan?' vroeg Gilda snel. 'Je maakte een indruk die ons het spreken benam,' zei Tino. 'Nóg eigenlijk...!' voegde hij eraan toe en keek Gilda scherp aan. Ze keek even terug. Er was weinig verlegenheid in Tino's blik. Iets gemeens en iets smekends. Van dat laatste werd ze onrustig. 'Om Benito te helpen...' zei ze toen ineens smalend. 'Daar geloof ik geen steek van. Tino en helpen zijn twee, als je het mij vraagt.'

Toen praatte Tino ineens wel tien minuten achter elkaar. De mensen die zelf niet zuiver op de graat zijn helpen je aan zo'n naam. Als Gilda eens wist hoeveel laster. Waarom dacht ze dat hij op dat 'kind van de bergen' gekomen was? Toch zeker omdat hij er zelf een was. Maar door zijn positie en zijn werk én doordat hij nu eenmaal altijd bezig was de streek hier vooruit te krijgen... Waar gehakt wordt, daar vallen spaanders. Als er iemand is die zichzelf wegcijfert, dan was hij het toch wel etc. Het goede was, dat hij vandaag in de stemming was om zelf zo'n beetje te geloven wat hij allemaal zei. Gilda beet zich af en toe peinzend op de lippen. 'Kortom, de eenzaamste onder de eenzamen!' zei Tino met verheffing van stem en ze had hem nu eigenlijk meteen maar in haar armen moeten nemen en 'ach kereltje toch' moeten fluisteren. Maar zo ver was Gilda nog lang niet.

'En als de notaris nu eens niet had gezegd dat er niets van inkwam, wat zou er dan zijn gebeurd?' vroeg ze. 'Dan zou er de volgende dag een foto zijn gemaakt. En de volgende week, want dan komt ie uit, zou jij op de folder hebben gestaan, in plaats van de een of andere lichte griet,' zei Tino, zich snel herstellend van de eenzaamste onder de eenzamen, die Gilda duidelijk een beetje al te eenzaam was. 'Heus...?' vroeg Gilda. 'Ik dacht toen ik daar in de deur stond en zeker toen ik dichterbij moest komen: wat verbeeld je je wel. 't Is niks voor die lui, een boerenmeid. Je had me er lelijk in laten stinken. Ik moet voor je uitkijken. Je bent heel wat minder edel dan je zegt.' Tino lachte hartelijk en Gilda begon met hem mee te lachen. 'Geef het maar toe pennelik,' zei ze. Nu schoof Tino zijn stoel vlak naast de hare. Het hoeft niet altíjd zo edel toe te gaan,' mompelde hij en hij pakte een hand van haar en legde zijn andere hand onopvallend tegen een bil van haar aan. 'En bovendien, als je verliefd bent verkeer je in zekere zin in je edelste fase.' 'Verliefd, je noemt nogal niet niets,' zei Gilda en in plaats van naar hem toe te buigen, wat Tino toch al wel verwacht had, stond ze op en pakte de wijnfles weer en schonk hem opnieuw in. Nu ja, de deur was hij nog niet uitgelazerd, stelde Tino vast en hij ging een beetje achterover zitten.

'Had jij dan gedacht, dat we níét onder de indruk

waren, toen?' vroeg hij. Gilda haalde, nog steeds bij de tafel staand, de schouders op. 'Ik wist niks en ik weet nog niks,' zei ze toen. 'Ik weet alleen dat ik er wel eens iets over zou willen horen.' 'Hoe we je vonden??' vroeg Tino.

'Nee, hoe het allemaal in elkaar zat. Het was voor mij niet niks hoor. Ik ben maar blij, dat ze het hier op het dorp niet te weten zijn gekomen.' 'Nou, als je daar blij om bent, dan mag je wel helemaal blij zijn dat je niet op de folder staat, de volgende week, zou ik zeggen,' zei Tino. 'Ik ben ook niet gek. Ik weet dat toch, dat ze op zo'n dorp raar tegen zoiets aan zitten kijken, ik heb je dat toch willen besparen...'

'Ik had het tegen een vrouw hier gezegd,' zei Gilda zacht.

'En wat zei die?'

'Dat ik moest vragen of ik er zelf ook een mocht hebben. Een foto.' Ze hield even op. 'Nou heb ik niks,' zei ze toen. 'De hele gebeurtenis heeft eigenlijk nooit plaatsgehad, dat is ook niet leuk, als je er dan toch naar toe bent gegaan.'

'Die foto wordt gemaakt hoor,' riep Tino en hij stond ook op en ging achter haar staan. 'Die foto wordt gemaakt, zo vast als een huis.' Hij sloeg gulzig zijn armen om haar heen en zoende haar in haar hals. Ze maakte zich langzaam los. 'Ach,' zei ze, 'laat het nu

maar. Ik heb tenminste gezégd dat ik het maar een rare dag vond. Iets waar je maar niet zo een, twee, drie
mee klaar bent, als het je gebeurt.' Tino sloeg opnieuw
zijn armen om haar heen, maar nu stond hij tegenover
haar. 'Weet je wat het met jou is...? Je bent een beetje te
alleen, kind.' Hij zoende haar op allebei haar wangen
en om zijn ervaring aan te duiden en zijn fijnzinnig-
heid, ook nog eens heel zacht op de ogen. Gilda schoot
net zo vol met haar eigen zieligheid als Tino die middag met de zijne. Inderdaad: ze maakte het te gek met
haar alleen-in-dit-kakelbonte-huisje zitten. En altijd
die rotnachten met de blaffende Kienko. Niemand
keek toch maar naar haar om!!
Niettemin maakte ze zich opnieuw los van Tino, want
hij was haar toch te verdacht en te veel een schumert
en een morsige egoïst. Het beviel Tino bijzonder
slecht dat ze hem terugduwde, al realiseerde hij zich
uitstekend dat hij in dergelijke situaties doorgaans alleen maar niet terug werd geduwd, omdat men wat
van hem wilde. En Gilda wilde niets van hem. Niet
eens alsnog die foto.

'Je gaat es met me mee uit,' zei hij nu maar. 'Tino
gaat zich het lot van dit vrouwtje aantrekken. Tino
gaat jou genezen van je achterdocht. Je zal gaan merken dat Tino, dat de mensen niet zo slecht zijn als je
denkt. En als Tino je dát leert, dan doet hij al genoeg...'

'Tino is getrouwd,' zei Gilda droog.

'Dat wel... maar hoe...? En dat is nu eens iets dat een vrouw als jij dan in ieder geval hoorde te begrijpen,' riep hij erachteraan en waarachtig, hij ging huilend op een stoel zitten.

En daar zat Gilda dan lelijk mee: met een man die in haar eigen kamer in huilen uitbarstte en zo te zien voorlopig nog niet was uitgehuild. 'Kom,' zei ze, 'kerels grienen niet, kinderen van de bergen...' Dat laatste zei ze om hem meteen wat op te vrolijken met iets grappigs, maar het had een averechts resultaat.

Kortom, ze was een flinke tijd met hem bezig en pas toen ze hem had beloofd dan inderdaad es een keer met hem mee uit te zullen gaan, stopte de vloed. Tino drong zich nog een keer tegen haar aan, zoende haar opnieuw en zei gesmoord: 'Ik meld me. Je kunt op me rekenen.'

Hij ging snel het huis uit, groette de mensen voor de kapel maar niet, met zijn betraande smoel en reed naar Pallio.

Gilda ging de glazen spoelen en een paar minuten later zat ze bij de mensen op de stoep aan de overkant, die niet eens visten naar wat Tino dan wel was komen doen en gewoon het gesprek van de vorige dag en de dag daarvoor en de dag die daaraan vooraf was gegaan, hervatten.

Tino kneep toen hij Pallio binnenreed nog eens een keer van triomf hard in zijn stuurwiel. Hij hád haar hoor, laat niemand zich daarin vergissen. 'Ik meld me,' had hij gezegd. En hoe. Het stond hem precies voor ogen hoe hij dit varkentje moest wassen. Hij at overvloedig in de enige kroeg waar ze wél goed konden koken en begaf zich vervolgens naar de burgemeester, om hem ook het stukje voor te lezen over de ezeltocht van Benito.

Hertha en haar man hadden George vroeg naar bed gestuurd in verband met de vermoeiende dag morgen en ze zaten samen met de leraar voor de zoveelste maal dezelfde tijdschriften door te bladeren. 'Nou, ik ga...' zei de leraar. 'Geen zorgen voor de dag van morgen.' 'Ik ook,' zei Hertha. 'Kom je ook?' vroeg ze aan haar man. 'Direct,' zei die voor de honderdste maal gebukt over de kaart van de omgeving en zich steeds meer vullend met wantrouwen jegens die onderneming van de volgende dag. Hertha en de leraar konden nog een potje zoenen op de stille gang. Daarna maakten ze zich met een diepe zucht los. Overmorgen zou het afgelopen zijn met hun gevrij, dat daarna sporadisch zou worden, want de leraar woonde een behoorlijk eind weg van hun stad.

Hij sliep snel in en ook Hertha was al goeddeels in slaap, toen haar man de kamer binnenkwam en zei: 'Het zal me benieuwen of we het er levend afbrengen.' Hij was de enige die niet sliep en die Tino nog zijn auto hoorde starten en op weg hoorde gaan. Niet naar zijn huis overigens, maar naar het dorpje van Gilda.

Hij ging zich melden.

Nu zette hij zijn auto weer wel buiten het dorp. Werkelijk iedereen was naar bed. Kienko kwam hem blaffend tegemoet, maar die blafte al voordat hij kwam. Hij duwde tegen de deur en die ging open. 'Dat noem ik erom vragen,' mompelde hij. Ten onrechte, want Gilda deed de deur nooit op de knip.

In de kamer beland, kleedde Tino zich snel helemaal uit en toen wipte hij het slaapkamertje binnen. Hij raakte Gilda's slapende hoofd even aan, waardoor ze ineens helder wakker werd, want ze sliep door dat geblaf telkens maar even. 'Ik ben het, Tino...' fluisterde hij en een schrikbeweging van haar hoofd neerdrukkend in het kussen fluisterde hij: 'En ik ben van jou, helemaal van jou,' en hij voegde zijn naakte lijf aan die mededeling toe.

Schreeuwen en tumult maken zou erger uitpakken dan wat er nu stond te gebeuren, begreep Gilda. Ze zweeg en onderging het. Buiten was het nu stil en het geblaf begon pas weer, toen Gilda een luide schreeuw gaf op het moment waarop Tino in haar drong. Kienko hervatte het blaffen, de buurhond volgde hem en op het ogenblik dat Tino aan zijn door haar tegenstribbelen lang uitgestelde, solitaire en verschaalde extase toe was, blaften alle honden van het dal als dol en met zo'n lawaai, dat de meest geharde doorslapers wakker werden, om daarna met zoveel te meer effect het ontredderend gebalk van alle vijf de ezels van Benito te horen, dat de wanhoop als slotsom van het doen der levenden, van het dal uit tegen de verschrikking van de Srotta deed kaatsen.

Die er niet gevoelig voor was.

De afspraak was dat Benito zijn klanten van het badhotel af zou halen. Om negen uur. Dat was vroeg voor de toeristen en lekker laat voor Benito, die anders al om half zeven naar boven ging. Niet dat hij nu in zijn bed bleef. De ezels werden — al was het de vorige avond al grondig gebeurd — opnieuw mooi gemaakt en ontdaan van mestvlekken. Benito ging voorop, de andere vier ezels volgden de zijne, maar Maria liep ook mee om te zien hoe het zou toegaan als de vreemden op haar zadeltjes gingen zitten.

Tonio en Aido waren met rugzakjes te voet de berg op gegaan. In het ene zaten flessen wijn en in het andere brood en vijf duiven, die Maria had gebraden, na ontzettend lange gesprekken over wat ze de toeristen op de top zouden voorzetten.

Jammer dat Tino dat niet wist, want anders had hij in zijn stukje geschreven: En boven... boven... bevindt in het betoverende uitzicht de toerist zich plotseling in de paradijselijke staat, waarin de gebraden duiven de mond in vliegen, zoals ons als kinderen verteld is.

Hij zou dan in de war zijn tussen het paradijs en lui-
lekkerland, maar afgezien daarvan zou hij mogelijk
ook hebben geaarzeld om het paradijs nu wel ter sprake te brengen, dat bepaald verwarring zou stichten
ten opzichte van het hiernamaals.

Wat verlegen voor de andere gasten bestegen de
klanten de ezels. Alle zorgen, door Benito en Tonio
besteed aan hun uiterlijk mochten niet verhinderen
dat ze er beklagenswaardig en jammerlijk uitzagen,
vol wonden van schurende kisten, mooi uitgediept
door vliegen; aangevreten, gehavend en overdekt met
ondefinieerbare kale plekken en littekens van dan
nog wel gedichte wonden en schavingen.

Hun oren, dat was het enige waarbij iemand die dat
nu per se zou willen, nog iets zachts of desnoods iets
liefs zou kunnen denken; iets dat een dierenvriend
zou kunnen aanspreken. Maar verder...

Hertha zou op de ezel achter die van Benito plaats
nemen (en toen de leraar haar hielp, beet de ezel dáár-
achter, waarop hij moest gaan zitten hem achter in
zijn door haar altijd levendig bewonderde dij). Achter
de leraar kwam George en zijn vader sloot de rij. Toen
ze allemaal zaten, applaudisseerden de andere badgasten en het personeel een beetje spottend en ineens
ook nogal onzeker over de goede afloop.

Alleen Maria straalde, omdat haar zadeltjes zo netjes

bleven zitten en om haar vader, die dan toch maar een bedrag beurde, waarvoor hij anders een week moest sjouwen. Leidsels en zweepjes werden ter hand genomen en George gaf zijn rijdier meteen een flinke pets, zodat het dier haastig de ezel van de leraar passeerde. Maar die stónd op zijn positie achter Hertha en gaf zijn ezel dus ook een tik, zodat die met zijn kinnebak over de achterkant van Hertha's ezel schoot en haar bijna deed vallen.

Had hij toen maar gezegd: 'Nou jongens, we geloven het wel hè; het is een leuk tochtje geweest. Een beetje duur wel, maar alla, overmorgen verdienen we weer centjes.' Maar dat vond hij toch een beetje laf en zo sjokten ze onder ruime belangstelling van de bevolking van Pallio in de richting van de Srotta, toch.

Sommige mensen van Pallio wuifden zelfs, niet alleen omdat het gezelschap op de ezels nu al wekenlang inkopen had gedaan en men de gezichten wel kende, maar ook met iets spottends en zelfs iets vileins van toch nog net de pest hebben aan die bont en raar geklede vreemdelingen, die precies zo weinig bij Pallio hoorden als het bedriegelijke zandstrand.

Tino had er natuurlijk eigenlijk ook bij horen te zijn, maar die was, toen Gilda opstond om te gaan melken als een blok in haar bed blijven liggen om in weerwil van de geringe geslaagdheid van de nacht een nieuwe situatie ook in de táál van een rotsblok, die men hier kende, duidelijk te maken.

Gilda was dof in haar hoofd en verder even dof bezoedeld. Goeie god, de vreugden van het vlees, de tinteling van de opbloei, het knapperig vers brood van de verwachting, de hele literatuur was 's nachts al weggebalkt door de ezels, voordat de eerste pagina ervan was opgeslagen.

Dus: een kerel in haar huis, dacht ze, toen ze de koeiemelk met haar sterke handen tegen de binnenkant van de melkemmer spoot en hoe kreeg ze hem weg? Niet met redelijkheid.

En dan de mensen van het dorp! O, heilige moeder van God. En haar eigen moeder inbegrepen op het kerkhof en haar vader. Zij, Gilda, in hun huis te bed met de knoeierigste schavuit van allemaal. Zij, Gilda, van de foto. Ze legde haar voorhoofd tegen de achterpoot van haar suffe koe. Dat dácht ze ook: suffe koe.

Misschien was hij, als ze straks de melkbus buiten had gezet en het huis in zou komen, weg. Ze zou ook zelf weg kunnen gaan, want die hele dag zou hij het toch wel niet uithouden in dat bed. Maar naar wie? En wat zou ze moeten zeggen? Zo maar een beetje rondlopen? Met de autobus naar Pallio gaan? Maar dan moest ze naar binnen, andere kleren aandoen en geld pakken. Geld... Wie weet zat hij al in haar dingen te snorren. Een kerel in huis, een kerel in mijn huis, dacht ze maar steeds. Ze wou braken. Hier ter plaatse braken. Braken van hem.

Ze deed het.

Op de vloer van de stal en ging toen met een zure bek verder melken.

Of was het iets om aan te wennen? dacht ze later. Zij had die nacht geen onraad gemeld, niet de buren wakker geschreeuwd, niet Tino met de koperen vaas naast het bed op zijn lamme kop geslagen, hem niet gekrabd, gestompt, geknepen, aan zijn haar getrokken. Het viel haar eerlijk gezegd nu pas in, dat ze een paar van die dingen (of allemaal) had kunnen en moeten doen. De gore pennelik. Ze huilde.

Toen ze de melkbus buiten had gezet, ging ze alsof ze vier keer zo zwaar was, naar binnen.

Hij lag er nog.

'Moet je wat eten?' vroeg ze.

'Graag,' zei hij. 'Bak maar een paar eieren.' Nog commanderen ook, dus.

'Vent,' zei ze, 'sloerie...!'

'Wat je bent...!' zei Tino en hij sloeg het laken terug om zich brutaal te laten zien. Gilda ging eieren bakken.

'Allemachtig,' riep Tino toen ineens uit haar slaapkamer. 'Vandaag gaan ze de Srotta op. Hoeveel doden schat jij?'

'Wat mij betreft, allemaal en jij erbij!' riep ze.

'Dank je. Ik niet. Want wie moet het anders in de krant zetten?' zei Tino, naakt in de deur staande. 'Maar ik moet wel weg tot vanavond. Zet maar vast van die lekkere wijn van je vader klaar!'

'Je kan mijn kots oplikken in de stal,' zei Gilda.

Benito had ook neiging om te braken. Ze waren al hoog en datgene wat hem op zijn proeftochtje als het ergste getroffen had, was nu nog erger: niemand kon terug!

Hoe onnavolgbaar secuur zijn ezels hun hoefjes ook neerzetten, tot omkeren zouden ze niet in staat zijn, of, indien toch nog, (door Gods goedheid), zéker niet met een mens op hun rug. En hoe moest iemand hier afstappen, zonder omlaag te vallen?

Met de dood voor ogen, dacht de leraar, hoe vaak had hij dat niet gelezen. Met de gewisse dood voor ogen tuurden de ongelukkigen... Waar híj nu al een uur naar tuurde waren de billen van Hertha en daaronder de (om te huilen) neutraal bewegende billen van haar ezel; stapje voor stapje de hoeven plaatsend. En de staart nog in de weer ook, uit gewoonte denkelijk, want vliegen waren hier niet om naar ezelwonden te zoeken. Wel liet Hertha's ezel voortdurend luide winden, net als de zijne trouwens. Als ze een strandattractie geweest zouden zijn, zou iedereen hebben gelachen. 'Die beesten vreten geloof ik trompetnarcissen,' zou hij dan luimig geroepen hebben.

'Dit is de dood. In zijn abstracte vorm,' mompelde hij nu en dan. Het was onmogelijk dat dit zo in hun leven gesteld was. Drie volwassenen en een kind met open ogen het avontuur van de dood betredend, na betaald te hebben, aan het einde van een vakantie, op het punt om terug te gaan naar iedere dag, het leven, de sleur, de goede en de kwade dingen. Ja zeker, als hij opzij keek zag hij in de verte de nu eens groene dan weer kale hellingen van de beide andere bergen waar mensen op leefden.

Maar de Srotta zelf was een visioen van de hel. Een onbestaanbaar, dreigend buiten de wereld vertoeven. Nee, dat nog niet eens: een voltrokken noodlot. Twintig hoeven droegen hen steeds verder de dood in. Het groen van de hellingen in de verte bestond niet meer. De hoeven van Hertha's ezel: dat was het enige dat het bestaan van leven verkondigde. Daarboven Hertha's billen, die de laatste zes weken zijn opgetogenheid gaande hielden. Opgetogenheid... menselijke opgetogenheid...

Maar de leraar kende die billen voor zich uit tenminste. Hertha kende niets. Die keek naar de rug van de oude Benito en ook naar hoefjes en naarmate ze verder gingen, werd het zekerder dat ze straks weg zouden glijden en dat de ezel met zijn weggegleden poten om zou kieperen. En wie planeerde dan, vlezig omlaag: Hertha! Ze zat in een kramp op die ezel. Kramp was zelfs haar meisjesnaam. Hertha Kramp. Ze had eens op een diner naast een beroemde mijnheer gezeten, die zei: 'Ach, juffrouw Breuk... wij mensen...' 'Kramp,' had ze toen gezegd, 'Kramp, niet Breuk.' 'Neem me niet kwalijk, ik wist dat het iets onaangenaams was in het onderlijf,' zei die beroemde man toen. Waarom in godsnaam herinnerde zij zich dit ineens? Jawel: kramp wordt breuk. Het was een voorzegging van wat nu gaande was. Kramp dacht Hertha, de kramp wordt erger. Ik moet me gaan bewegen. Ietsje maar... Het kan niet. Ze had de leidsels al losgelaten en steunde in de nek van de ezel met haar handen. Mijn god, haar ingewanden.

Diarree, iets onaangenaams in het onderlijf.

De vernedering, de stommiteit, de wezenloze stommiteit om het nog te doen ook, die bergtocht! Voor George. Haar zoon.

Maar omkijken naar hem kon niet.

Verroeren kon niet en straks de val langs de grijze wanden, de eindeloze val. Maar misschien telkens stuitend op pieken en gebroken worden en een bebloed vod zijn, dat eindelijk ergens neersmakt. Vandaag dood.

Nog na het ontbijt had ze kunnen zeggen thuis te blijven. Zou George bang zijn? Natuurlijk; alleen Igor, haar man, natuurlijk weer niet. Die zou wel lachend op de top arriveren; als ze daar nog kwamen...

Inderdaad: George was bang en alles deed pijn aan hem, want zijn ezel was nog schonkiger dan de andere. Hij werd doormidden gesneden en het mes werd nog scherper doordat het 'pad' werkelijk, ja werkelijk, ja constateerbaar werkelijk, nu nog smaller werd. Wanneer hield dit allemaal op en zou het wel goed aflopen? Niemand zei of riep iets; iedereen zat stil en overgeleverd aan de hoeven van de ezels, aan de ezels die nog steeds winden lieten, de winden waar ze om gelachen hadden toen ze pas op weg waren. De zijne liet ze ook met grote regelmaat. Dat was het enige geruststellende. Leven is op behoud uit.

Igor keek naar zijn zoon. Hij hield van hem. Als er iets gebeurde met George nu, of straks — en er zóú iets gebeuren, wist hij — dan zou hij zelf stil, voorzichtig van zijn ezel af zien te komen, zodat die tenminste niet zou vallen. En hij zou zich dan zwijgend en vol zekerheid aan dezelfde kant in de diepte laten glijden. De anderen zouden niet om kunnen kijken en verder móéten. En dan na een tijd, terug. Dat zou nog erger zijn.

Nu, omhoog gaand, ligt de verschrikking van dit pad

minder uitgestald dan bij het teruggaan. Dat zal nog erger zijn.

Benito liet hem koud. Hij zou hem volgaarne als ze thuis zouden komen in de zee onder water houden tot hij (zo goed als) dood was. Hertha, enfin Hertha; de leraar Ian, jammer voor de vent als hij viel, maar hij had te leuke weken gehad met Hertha, dat was duidelijk.

Hij zelf.

Hij had de laatste weken veel over liefde gedacht.

De liefde waartoe een mens wordt veroordeeld, bij voorbeeld voor een kind. Het is een geluk om lief te hebben, had hij gedacht, maar het is tegelijkertijd een niet te dragen belasting met vrees het geliefde wezen te zullen verliezen.

Zijn zoon George reed voor hem uit, op het scherp van de dood. De liefde is een ding, dat van leven sterven maakt, op die manier. Het sterven van de duizend doden, die de laatste voorafgaan.

Toch is liefde het enige dat ertoe doet en het leven zin geeft. Hij keek naar de rug van George, zijn nek en zijn krullerig haar.

En naar de hoeven van de ezel, die naar hij geloofde iets langzamer gingen nu, met minder automatische zekerheid.

Zonder liefde is er geen leven, dacht Igor. In die zin

zie ik Gods liefde, dacht hij, waar ze het vroeger over hadden. Door lief te hebben ontstaat er zeker zoiets als God. Als iemand van wie ik hou, van me weggaat, lijd ik altijd en onherroepelijk. Daarom zullen mensen over een weerzien na de dood tobben. Het gemis van iemand van wie je houdt kan niet als uiteindelijk worden aanvaard, omdat het leven niet kan worden aanvaard als een kwaal van gemis.

Ik denk, dacht Igor, George weer in het oog vattend, dat de last van liefde doodsverlangen in zich bergt, hoewel het moeilijk is om liefde te verbinden met verlangen naar het eind van het leven, als liefde het leven pas zin geeft. Maar hier zou het niet moeilijk vallen, dacht hij.

En hij keek opzettelijk en volhardend in de diepte.

Hoe kan de groei van een liefde tegelijkertijd groeiend verlangen naar sterven inhouden. Toch is het zo, dacht hij. De diepte en de kwaliteit van liefde, van wat mensen voelen kunnen, is bepalend voor de bereidheid om afstand te doen van het leven. Pas als het liefdegevoel voltooid is, is de vrees om te sterven verdwenen. Igor wou voor niets in de wereld dat George om zou kijken. Het hoefde ook niet. Hij wist hoe hij dan zou kijken. Dat hij dit wist maakte hem gelukkig.

Hij voelde de beweging van de ezel onder zich, alsof

hij werd meegevoerd door een stroom buiten zich zelf om.

Hertha, die oude ezelman, Ian, arme sodemieters.

George. Alleen op de ezel, machteloos om iets te zeggen, of iets te doen. Alleen. George alleen.

Al alleen.

Waar zit het geluk van mijn liefde in? In het behoeden van het leven van wie ik liefheb?

Een pretentie is dat en het in bezit nemen van iets dat dezelfde zelfstandigheid van voelen en liefhebben moet verwerven. Ik moet wie ik liefheb, daar niet in verstikken, dacht hij.

Dat is onoplosbaar.

Het ligt net zo, als die groeiende liefde die doodsverlangen inhoudt, dat afzien van ingrijpen in leven en gevoel van de anderen, uit liefde. Liefde betekent dus eenzaamheid en als sterven de laatste en uiterste eenzaamheid is, is die door liefde gegroeid en voorbereid. Vroeger, toen ik gelovig was, dacht Igor en hij keek naar de hoeven van Georges ezel, die tóch een regelmatig tempo hadden, liet je al die dingen die je hoorde te voelen maar stromen in de zee van — allemaal — eender. In plaats van tot sterven verdund, een eenzame stroom te zijn naar de niets dan dood ontvangende liefde.

Er vielen onder de ezel van George een paar stenen omlaag, recht van het pad. Ze sprongen met wijde bogen van het ketsen tegen obstakels in hun val, van de wand af en er weer tegen aan. Igor volgde ze zo ver het kon. Het dier van zijn zoon stapte verder.

Benito was leeg, Hertha was leeg, de leraar zat verstard als een spin in een hoek van zijn eigen leven, dat hij overzag als zo'n spin zijn web; even gevoelig als een spin ook voor alle bewegingen in die draden. Bij hem zouden daar dan onvergetelijke dingen in moeten komen, die hij op de rand van de dood opnieuw tot zich zou kunnen nemen, als een spin vliegen en muggen. Maar er kwam niets. Alles wat hij had meegemaakt en gedaan was te futiel om vorm te krijgen, levend te worden of de draden van een web zelfs maar te beroeren. Jongen was hij geweest, leerling, examens, leraar met leerlingen in plaats van levens die wat aan het zijne konden hebben. Waar liep het op uit? Op die hoefjes voor hem, die de billen van Hertha droegen. Op niets, op mensenvlees, bestemd voor de zwaartekracht langs de wanden van de Srotta. Hij had aan filosofie gedaan, gedebatteerd, Scharf und Klug, maar geen equivalent voor wijsheid. Wel genoeg om Hertha in verbazing te brengen over belezenheid en spirituele grappen, of wat zij daarvoor hield. Nee niet: 'of wat zij daar voor hield'; ze was alleen maar gevleid door die woordenstroom van hem tussen de bedrijven door. Het is allemaal niets. Het is allemaal leeg en zou hij straks vallen, dan ging er merkwaardig weinig verloren. Hij reed regelmatig paard in de manege van de stad waar hij woonde. Hij had een goede zit, zelfs op die ezel. Het deed hem geen pijn, althans niet zo veel dat die kwelling mede als oorzaak van zijn ellende kon gelden. Er waren geen uitvluchten meer mogelijk. Hij wás leeg, onnut en zijn waardeloosheid kon hier niet meer schuilgaan achter de haag van zijn 'spiritualiteit', zijn gesimuleerde inzicht.

Billen.

Hij dacht niet eens: ach god, die arme kont van haar; hij voelde niet eens dat dít het nou was, zijn leven: op weg naar een zinneloze bergtop leeg te blijken, en zonder belangstelling of gevoel voor welk leven dan ook. Want die welhaast lichtgevende hoefjes voor hem hinderden hem mateloos door hun verdomde aangeboren zekerheid van voortstappen. Ook hier.

George dacht aan zijn moeder en of die ook bang zou zijn. En hoe ze het zou stellen op die scherpe knoken van haar ezel. Maar vooral hoe bang ze zou zijn en hij riep schel voor zich uit: 'Het gaat allemaal best, hoor moeder.' De ezel schrok.

Kijk in godsnaam niet achter je, om naar mij hetzelfde te roepen, dacht Igor. Er stroomden tranen langs zijn gezicht en hij legde zijn hand om het zachte liefelijke oor van zijn ezel; maar die maakte het met een ruk weer vrij en sloeg er toen mee naar de knokkels van zijn hand. Igor liet het daarbij. Niemand weet ook nog maar iets van het leven.

Ze bereikten de top.

Tonio en Aido stonden daar en ze lachten onstuimig en hielden hun duimen omhoog als een huldebetoon, overwegend aan het noodlot dan zeker, dacht de leraar Ian. George was het eerst van de ezel af; Benito, de leraar en Igor hielpen de arme Hertha van haar rijdier. Ze was vrijwel apathisch en mompelde alleen maar: 'O jezus wat verschrikkelijk, o jezus, wat ontzettend. O jezus, wat zijn we begonnen. Ik ga niet terug. Ik ga niet terug!'

'Jezus reed, naar men algemeen zegt, ook doorgaans op een ezel,' zei de leraar.

'Terug zal het wel makkelijker gaan,' riep George.

'De mens lijdt niet het meest aan het lijden dat hij vreest; dat weten we nou tenminste,' zei Igor.

Aido mocht de wijn inschenken, hadden ze afgesproken en Benito zou dan met het brood komen en daarna Tonio zelf met de gebraden duiven. Aido kwam dus meteen met kartonnen bekertjes met wijn en ze dronken gulzig, al ging het door ze heen, dat ze niet op een lossere toer op die ezels aan de terugweg mochten beginnen, want dan was het zéker bekeken! Ze beklopten hun ezels allemaal met een respect als ze nog nooit gevoeld hadden. Ze gaven de dieren ook brood. 'Geen wijn,' zei de leraar. 'Brood en wijn...' voegde hij er peinzend aan toe. 'Waar zijn de ouwels eigenlijk? Dat zou de enige versnapering zijn die hier op zijn plaats is.'

Om Hertha tot enig teken van leven en herkenning te brengen, klopte hij haar (uiterst onzinnelijk en troostend bedoeld) even op haar achterste. Ze gilde het uit van pijn en riep: 'Kijk uit idioot.' 'Rauwe biefstuk,' zei Igor, 'ik denk dat ik in geen maanden zal kunnen zitten en vergaderen.' 'Dat is nou typisch voor jou, dat je het hier over vergaderen hebt,' zei Hertha snijdend. 'Je krijgt hier wel een andere kijk op je leven.' Zij dus ook.

Wat het allemaal nog zo veel erger maakte was, dat ze geen woord met Benito of Tonio of Aido konden wisselen en die niet met hen. Ze stonden met hun drieën op die krankzinnige kale top van een paar vierkante meter naar die vreemdelingen te kijken, of hun menselijke vormen op een opzienbarende toevalligheid berustten. Hertha kreeg er nu een zenuwenlach van. 'God, wat een uitje is me dit,' gierde ze ineens. George lachte met haar mee, maar haar man en haar minnaar wisten wel beter. Dit werd hysterie. 'God, wat een uitje, met twee pummels en een gehuurde pummel en drie kinderen moeizaam en nog voor duur geld ook, de uitgekiende verdommenis in. Het is... Het is... kom bij me George, kom in godsnaam dicht bij me...' George ging tegen haar aan staan. Zitten kon hier niemand, al waren Tonio en Aido dat wel even gaan doen, maar nu zaten ze op hun hurken.

Hertha drukte George tegen zich aan als tenminste één herkenbare situatie.

'Je moeder is een idioot, je vader is een idioot, oom Ian is een idioot en die idiote ezelkerels zijn misdadige idioten,' huilde ze. 'En hier sta je nou jongen. Onder geleide van volwassenen... Voor geen geld, voor geen geld ga ik terug. En jij ook niet lieveling...' George keek, terwijl ze zijn hoofd tegen zich aandrong, als om hem te verhinderen om te kijken, toch nog zo veel mogelijk om zich heen. Hij stond met zijn rug naar de kam waarover ze gekomen waren en hij zag in het geheel niets dan afgrond. En de ezels. Die stonden met neerhangende koppen te kauwen. Hoewel zijn ezel hem ook vrijwel doormidden had gesneden, voelde hij zich haast nog meer verbonden met dat dier dan met zijn huilerig schreeuwende moeder. Ze zou toch moeten. Naar beneden. Zij wist dat natuurlijk even goed als hij. Ze voelde zeker dat hij zijn rug nogal afwerend strak hield en liet hem los.

'Als ze ons levend naar beneden brengen, moet je ze kopen, Igor, alle vijf, of in ieder geval vier. Die beesten zijn Heilig, we zullen op Ze passen en Ze vertroetelen voor de rest van ons leven.'

'De rest van ons leven is goed...' zei de leraar.

George stapte naar een ezel en begon hem te aaien. Aido maakte hem met een bijzonder levendige imitatie van een bijtende ezel duidelijk, dat hij dat beter niet kon doen. George liet het erbij en de ezel gaf met een ferme trap naar achter aan, dat hij ook dat kon.

'Je zal nog moeten uitkijken met je vertroetelen,' zei de leraar tegen Hertha.

'Jij... jij...' zei ze, 'in jou zal het niet licht opkomen om echt gevoel voor iets te hebben... nooit!'

'En waarom dan wel niet?' vroeg hij enigermate gepikeerd toch.

'Een speld kan geen ei nadoen,' zei ze.

Tonio vond het moment aangebroken om de duiven aan te bieden. Hij haalde met zo'n onverhulde trots die tot een vormeloze knoedel van iets gebradens samengeperste duiven te voorschijn, dat zijn gasten begrepen dat onbevangenheid toch nog voorkomt. Ze keken vragend, omdat ze eerst wel eens wilden weten wat het was. Aido begon met zijn armen vleugelslagen te maken en koerde erbij. 'Duiven... sjonge, sjonge,' riep Igor. Tonio maakte er voor ieder van hen een los uit de kluwen en gaf ze zo'n duif. Ze zetten er hun tanden in, zonder dat het duizelen van ellende iets verminderde. Integendeel, de hoeveelheid van de botjes was een hindernis te meer om enigszins tot zichzelf te komen.

'Alles welbeschouwd nog een picknick ook,' zei de leraar, die rondkeek of hij wat botjes kon neergooien. 'Ja, smijt ze maar rustig neer,' riep Igor. 'In later eeuwen zullen ze dan tenminste weten dat hier ooit mensen zijn geweest.' 'Lekker,' riep George. 'Zo krijg je ze beneden niet,' mompelde Ian naar Hertha.

Beneden.

Ja, beneden.

In de verte zagen ze de toppen van de twee bewoonde bergen en nog verder, massa's andere, allemaal wel voorzien van op zijn minst hier en daar groene hellingen. Hun top was nog niet eens de hoogste. Het werd eigenlijk hoe langer hoe onwerkelijker: in dit heerlijke vakantieland, in deze overweldigende natuur nu juist deze dodenklim, deze steen geworden doodsangst, zo vanzelfsprekend de dood inhoudend dat die erdoor ontluisterd werd.

De dood rekent toch, in welke diep verscholen hoek

dan ook, op enig medelijden. Maar hier was het alleen maar een voor de wereld ongemerkt doodvallen naar een door de wereld nooit terug te vinden stuk rots, of steen. Ja goed, ze waren met hun vieren. Ze waren drie volwassenen en een jongen, die wel wat van de wereld wisten. Ze hadden die echter verlaten. Quasi wel wetend wat ze deden, maar eigenlijk met dat gebrek aan fantasie, dat altijd maar weer mensen gemoedereerd de dood doet betreden als een tram. Nu goed: ze waren levend boven gekomen en er moest dus een kans zijn dat ze beneden ook levend weer aan te treffen zouden zijn. Maar in ieder geval waren ze nu vol van de vraag of dat dan eigenlijk wel zo zou zijn. Leven okee, hun leven...? Tussen anderen. Medemensen, reeksen gezichten van medemensen konden zij zich voor ogen brengen. De medemensen waren nu Benito, Aido en Tonio, maar die keken naar hen als in een dierentuin. Het was hún uiterlijk, het waren hún gewoonten die vreemd waren en niet die van Benito en de zijnen. De jongens zaten op hun hurken, Benito leunde met gekruiste armen op een ezel, keek doorgaans in de verte, maar af en toe naar zijn passagiers, zijn klanten. Hij keek gauw voor zich als hun ogen de zijne troffen. Hij keek ook nu en dan naar zijn zoon en diens vriend. Hij was blij dat hun rugzakjes zo goed als leeg waren, nu ze terug moesten. Niemand had iets gezegd van de duiven en of ze die lekker vonden. Niemand maakte aanstalten om zich te buiten te gaan aan het panorama. Ze waren bang, dat was duidelijk. Hij trouwens ook, want terug is het erger dan heen, omdat je dan voorover zit en daardoor alleen al banger wordt voor wat je allemaal voor je uit ziet en verder, omdat je bij een hapering in de beweging van je ezel er lichter van voren af schiet dan van achteren. Zo'n ezel weet dat ook en die zal zijn kansen zonder berijder ook hoger aanslaan dan met zo'n last op zijn rug zich herstellen van een beginnende verstoring van zijn loopbalans of van zijn evenwicht.

De duiven waren op, of wel zo goed als afgekloven weggegooid; voor het brood hadden alleen de ezels nog maar belangstelling en voor meer wijn bedankten ze uit vrees nog lichter in het hoofd te worden; zodat dit ze als een ballonnetje van de ezel zou tillen.

En toen lieten ze zich met onuitsprekelijk zere billen weer op die dieren helpen om — in dezelfde volgorde achter Benito aan — de afdaling te beginnen. Tonio en Aido deden de resterende flessen in de rugzakjes, allebei evenveel en groetten de vertrekkenden; klaar om ze onmiddellijk te voet te volgen.

Toen de ezels naar voren begonnen te hellen was het duidelijk dat, mocht de heenreis al een tocht door de hel zoals die er dan eigenlijk uitziet geweest zijn, de angsten en de kwellingen van de terugreis vele malen verschrikkelijker zouden worden.

Bovendien hadden ze nu ook de zon nog in hun ogen, zodat de hele verschrikking-in-duizelingen de aanwezigheid van de hoeven ook nog als een houvast buiten spel zette. Het vallen zou hierin niet eens een afzonderlijk gebeuren zijn.

Het was al begonnen. Het flitsen ervan, de brand, het verdwijnen van vorm. Die van de dood inbegrepen. Igor hoorde nog wel de twee jongens achter zich nog iets roepen. Of het een groet, of een waarschuwing, of een heilwens, of een vervloeking was liet hem koud. Het waren twee menselijke stemmen, helder opklinkend in de oneindige stilte en de eindeloze ruimte.

Hij wilde wel weer naar George kijken, zoals op de heenweg (heenweg!) maar hij vertrouwde het zich niet toe. Hij kon het eenvoudig niet. Hij kon alleen maar links of rechts van de nek van zijn ezel naar plaatsjes kijken, waar het dier zijn hoeven zou kunnen neerzetten. Kunnen neerzetten was trouwens een belachelijk idee: ze konden ze niet neerzetten, het was onmogelijk; maar toch droegen ze hem, telkens ietsje tegenhoudend, zodat hij ook telkens naar voren kon kiepen, als hij niet achterover ging zitten. Maar hij ging niet achterover zitten omdat zijn blikken als versteend één waren met de stenen waar hij naar keek. Hij hoorde de ezel van George wel weer een wind laten en even later de zijne ook. Zo híj al versteend mocht zijn, in de ezels werkte alles nog.

Hij raakte dwars door al zijn nu al afgestorven gevoeligheid heen, ontroerd door zijn ezel. Een dier waaraan hij zich vastklemde; een dier dat dan wist zijn last niet af te kunnen werpen zonder op zijn donder te krijgen. En dat droeg. Hem droeg over de rand van een scherf, waarop lopen onmogelijk was. Laat staan dragen. Laat staan zo'n zware man als Igor, laat staan zo'n baal vlees als hij was.

Er viel niets te besturen; zijn, Igors vaardigheden, ervaringen, denkvermogen waren uitgeschakeld, nutteloos, nul. Iedere beweging van hem, tegen die van dat dier in, betekende dood.

Als hij levend beneden kwam, was hij gered door dat dier. Maar iemand kon het zo noemen. In redelijkheid kon hij niet zeggen: hij heeft mijn leven gered. In redelijkheid kon hij zich alleen maar schamen dit dier te belasten met zijn stomme gewicht; dit dier te kwellen met de lege tocht naar de top van de Srotta. En terug. Kwellen waar niets anders is dan dat.

Hij keek naar de door het moeizaam lopen, knikkende kop van de ezel, naar het vel, de huid, de overal gehavende huid; naar een paar paarsrode wonden, waar de nek overging in de rug, naar het haar boven op de nek, de manen heette dat, meende hij. En opnieuw naar de aansluiting van de oren in een kom van lief, witgrijs haar. Af en toe gaf zijn ezel een schokkende slag omhoog met zijn kop. Ik... dacht Igor. Ik behandel zo een dier. Ik druk hem met mijn verpletterende gewicht. Ik zou niet enig levend wezen aan willen doen zich te belasten met alleen maar het gewicht van mijn vlees. Laat staan een levend wezen dat ik daar, als het zelf in doodsgevaar is, mee blijf belasten. 'De ezel wordt in vele landen nog gebruikt als lastdier,' staat er dan in een boek.

Het meest gekwelde en mishandelde dier van alle dieren is de ezel. Onaanzienlijk en in die staat van ongelukkigheid gesmeten, die niet weet wat 'minder erg' betekent. Nu al uren bestaand op de grens van leven en dood, was het verschrikkelijk niet te kunnen communiceren met dat andere leven.

Zojuist, boven op de top, hadden ze ook al zo tegen Benito en de twee jongens aan zitten kijken in de verstarring van wel niet met ze te zullen kunnen communiceren. Evenmin had hij George kunnen laten blijken dat hij van hem hield, bezorgd was en als het even wou, huilerig van liefde. Hij had dat nagelaten voor Hertha, die duidelijk niet gestemd was voor sentimentaliteiten. Voor George zelf en voor de twee andere jongens. En ook had hij het nagelaten voor Ian, die met zijn naald dan toch maar door de hele familie heen naaide, zonder enig bezwaar.

Geen communicatie dus. Maar nu, met dit levende dier dat hem dwars door de dood droeg, was daar helemaal geen ingang voor. Toen hij op de heenweg een oor beet had gepakt, was ook dit hem immers ontrukt.

Geen gemeenschappelijke taal van het gemeenschappelijke leven, bestaat er. Toch moest de ezel maximaal bezig zijn met nadenken, nu. Met overwegen waar zijn linker en waar vervolgens zijn rechter voorpoot neer te zetten en tegelijkertijd dan nog weten waar de achterpoten steun zouden vinden. Instinct? Een afdoenertje. Overwegen; want soms aarzelde de ezel (dat merkte Igor bijzonder goed, want iedere aarzeling kostte hém bijna het leven).

Na een tijdje kon zijn val, zijn val, los van de anderen, zijn val als hekkesluiter van de kleine verwerpelijke stoet, hem niets schelen. Met zijn kop naar beneden de diepte in, die lichtgrijs was en zonnig. Godallemachtig, wat deed het er weinig toe. Zijn ezel zou een tijdje nieuw houvast zoeken en dat waarschijnlijk wel vinden en dan weer achter de andere aanlopen.

Beneden zou de achterste ezel dan leeg zijn.

Maar meer is er dan niet aan de hand dan dat: een lege ezel, een ezel zonder last. 'Mijn vader is toen verongelukt.' Het is merkwaardig, dacht Igor, met hoe weinig lust ik, beneden gekomen, mijn leven zal hernemen. Ik ben dan al een keer van het leven af geweest, ik zal me niet meer thuis voelen tussen de anderen; ik ben in staat van de een of andere genade met altijd dat beeld van die tussen mijn benen geklemde ezel voor ogen en mijn weten, dat het ene leven een gesloten geheel is en het andere. En de rest is onzin.

De tweede fase van sterven blijkbaar, wat ik dacht over de liefde, zojuist nog. De rest onzin. We weten niets van een ander leven al draagt het je dwars door de dood heen. Hij weet niets van mij, behalve mijn gewicht; ik weet niets van hem, behalve dat hij niet misstapt.

Igor bleef langs de hals van het dier omlaag kijken en krauwde het nu en dan in zijn hals. Maar dan schudde het zijn kop, als om een vlieg kwijt te raken, die er op uit is van een wond te leven.

Tino was pas tegen het einde van de morgen wegge-
gaan. Hij moest een hele groep vrouwen passeren,
door de luidspreker van een rijdende winkel midden
in het dorp naar buiten gelokt en nu druk pratend om
de koopman heen. Ze zagen hem allemaal; zoals ze
wisten dat zijn auto 's morgens al heel vroeg (nog?, al?)
aan de rand van het dorp langs de weg stond. Ze groetten hem uitbundig en de toespelingen waren opmer-
kelijk pittig. Tino grijnsde. 'Tot vanavond,' riep hij en
toen beende hij snel naar omlaag, waar zijn auto
stond.

Gilda dus toch, begrepen de vrouwen.

Wie is ertegen opgewassen? Niemand is ertegen opgewassen. De kerels...

Tino toeterde luid en herhaaldelijk. 'Hengst,' riepen de vrouwen en ze schaterden en vertelden de
koopman wat er aan de hand was en dat betekende
dat het straks in de hele buurt aan de hand zou zijn.

Toen Gilda ook naar de koopman kwam, zeiden ze
eerst niet veel. Ze lachten maar wat, maar toen zei er
een, dat Tino 'tot vanavond' had gezegd. Gilda kon
kwalijk in tranen uitbarsten, zonder dat ze zouden

roepen: 'Kom nou', of 'Doe niet zo schijnheilig', of 'Eens zal je er toch aan moeten geloven'. Ze lachte dus ook maar zo'n beetje. Kocht snel het nodige en slofte weer naar huis. Toen de rijdende winkel met alle muziek aan al lang was vertrokken, stonden de vrouwen er nog. Soms riep er een: 'Die Gilda', en liep dan een meter of vijf weg om aan te geven hoe apart dat was, die Tino die Gilda definitief had gepakt.

Tino ging eerst naar zijn huis, waar hij ook kantoor hield, om te vernemen of de bergtocht inderdaad begonnen was. Maar zijn leerling, die hij nu tot 'assistent' wilde benoemen ten einde hem te houden, was niet op komen dagen en hij zat er alleen voor. Hij mieterde een krant in elkaar, bracht de hele zaak naar zijn drukkerijtje en riep: 'Bak er maar wat van', en ging toen pas het woonhuis binnen, pakte een koffer en riep naar zijn vrouw die achter in de tuin bezig was, dat hij een paar dagen wegbleef.

'Zijn ze al terug?' riep hij in Pallio uit zijn auto. Nee, ze waren nog niet terug. 'Anders zouden we het wel weten!!' riepen ze erbij en ze keken zo vol lef, dat het Tino ineens weer te binnen schoot, dat zijn leerling had gezegd, dat de boeren boven ook iets van plan waren in verband met die nieuwe onderneming van Benito, die hen in moeilijkheden bracht.

Tino holde het huis van de burgemeester binnen om te vragen of zij daar wisten wat de boeren van plan waren. De burgemeester zei gehoord te hebben dat ze Benito een kunstje wilden flikken, maar dat hij niet wist welk.

Nou: kunstjes flikken bestond de eerste keer in het werpen met poep en de tweede keer in het gooien met stenen. Dat was het hele repertoire.

Beide kunstjes konden even slecht aankomen, als er toeristen bij betrokken waren, want als bekend zou worden dat ze in Pallio met stenen of met poep naar badgasten gooiden, konden zij de hele folder en hij de mooie order voor Tino's drukkerij wel vergeten.

'Je weet wat dat betekent als de boeren geinig worden, hè...' zei Tino.

'Ja, stenen!' zei de burgemeester.

'Of poep,' zei Tino.

'Of poep, inderdaad!' zei de burgemeester. 'Maar die zouden ze dan zelf mee moeten nemen van boven,' voegde hij eraan toe, 'en daar zijn ze te zuinig voor.'

'Dus stenen...' zei Tino, 'en dat moet tot iedere prijs voorkomen worden, want dat wordt een ramp voor ons toerisme.'

'Ik kan de politie niet inzetten tegen de boeren van boven,' zei de burgemeester. 'Dat begrijp je toch wel...' Tino begreep dat inderdaad wel, want de burgemeester had zoveel boter op zijn hoofd dat hij niemand tegen niemand kon inzetten en iedereen te vriend moest houden. 'Toeristen gaan weer weg,' zei hij. 'En ze vergeten gauw...'

'Het wordt een schandaal hoor, het wordt een schandaal,' riep Tino.

'Rustig jij,' zei de burgemeester, 'ze zullen heus niet speciaal op de vreemdelingen mikken. Ze willen Benito hebben.'

'Wat er ook gebeurt, er komt niets van in de krant; reken op míj,' riep Tino nog, toen hij alweer onderweg was naar het marktplein.

Het was daar niet zo stil als anders, maar zeker niet vol met opstandige boeren. Tino werd al een beetje kalmer, maar toen hij een kroeg binnenging om wat te drinken, pakte een magere, maar ijzersterke boer hem bij een arm en beet hem toe: 'Jij ziet niks hè, en je hebt ook niks gezien hoor, vanavond. Jij met je krantje.' Tino lachte maar wat; het zag er beroerd uit, dat was duidelijk.

Toen Gilda 's middags klaar was met melken, besloot ze naar Pallio te gaan en eventueel morgen dan maar in alle vroegte, als de bus nog niet zou gaan, terug te lopen. Ze gaf Kienko een bak vol eten, klopte hem even wat op zijn vette rugje, groette de kerels voor de kapel (meer dan anders en duidelijk in afwachting en liep naar de bushalte na een zak met koekjes gekocht te hebben, die ze alleen in haar dorp maakten en waar de vrouw van de notaris zo dol op was, naar ze altijd uitriep. Vlak voor de bocht die de autobus Pallio in moest voeren, stonden nogal wat mensen. 'Aanschouwt het grote oproer,' riep de chauffeur en iedereen ging voor de ramen van de bus staan, maar er was zo te zien niet veel meer aan de hand dan dat er wat mensen stonden.

'Moeten jullie niet kijken?' riep de chauffeur. 'Ze gaan Benito te grazen nemen.' Nou ja, dat wilden ze toch wel en de bus liep met veel gestommel leeg. En toen stonden er dus aardig wat mensen. En in de verte stonden langs allebei de kanten van de weg boeren en boerenzoons in een rijtje. En meisjes liepen eromheen te springen, kleine meisjes, die eens een keertje mee mochten naar beneden. Maar verder was er niets te zien.

Ja, Maria was er ook. Die stond al een paar uur naar haar vader uit te kijken, maar ze zag nog niets toen de eerste boeren er al aan kwamen; triomfantelijk met twee volle kruiwagens met mest. Goeie blubberende koeiemest. Goed voor het land en inderdaad node aan de vruchtbaarheid van de grond onttrokken.

Van de mensen die er achteraan liepen begreep Maria dat ze het op haar vader gemunt hadden en zoetjes aan was ze gaan huilen.

Gilda kende Maria niet zo goed, want ze woonde in een ander dorp. Ze leidde eigenlijk pas uit de omstandigheid dat Maria maar niet ophield met grienen af, dat ze het dochtertje van Benito moest zijn. Gilda keek met enige weerzin naar de boeren in de verte.

Een drama in een overweldigend landschap tóónt niet zo veel en die twee rijen boeren en kinderen in de verte vielen eigenlijk ook compleet weg tegen de ruimte die hen omgaf. Maar er was toch duidelijk iets van een drama, iets verschrikkelijks. Ze had eens als jong meisje bij haar vader in zijn carrier gezeten en toen ze een hoek om kwamen zag ze ineens, vlak bij de weg, een man die zo hard als hij kon een grote steen gooide naar een andere man, een paar meter verder. Het was raak en de andere man viel tegen de grond. Haar vader was doorgereden, want er stonden al mensen in de buurt ernaar te kijken. Om te zien was het gering geweest, ook al omdat ze gewoon doorreden. Maar later, toen Gilda hoorde van een man die ongeveer op die plaats was doodgegooid met een steen, had ze begrepen dat dit toen was gebeurd en dat ze het met eigen ogen had gezien; maar dat het haast te klein was om als zo'n gebeurtenis te zien.

Dit gevoel had Gilda nu ook weer. Het tafereel had in weerwil van zijn vaagheid (ook al door de afstand), iets onheilspellends; al kon je de meisjes die rondom de boeren speelden luid horen lachen.

Ineens drong er achter haar iemand bezitterig tegen haar aan, om haar heen haast.

'Je zult niet veel moois te zien krijgen,' zei Tino.

'Wat gaat er gebeuren?'

'Benito willen ze pakken. Hij is vandaag niet boven geweest en ze willen hem morgen weer terug hebben met zijn ezels.'

Gilda knikte.

Inderdaad.

Benito kon niet zo maar met zijn ezels iets anders gaan doen.

'Eerst nog maar afwachten óf ze komen,' zei Tino en ze stonden eigenlijk heel gewoon met elkaar te praten en bij elkaar.

'God, ik wou dat ik thuis was gebleven,' zei Gilda en ze legde even een hand op zijn arm.

'Straks,' zei Tino. 'Straks thuis moet je es opletten.'

Gilda keek vaag. Haar ogen priemden niet, ze keek ook niet speciaal ergens naar. Ze keek vaag.

De berijders van Benito's ezels hadden het ergste achter de rug. Het pad was weer iets breder, het had kortom weer iets van een pad. De hellingen ter weerszijden waren nog wel dodelijk vermoedelijk, maar niet snijdend en George kon het wagen om te kijken naar zijn vader; wat hij ook deed. En anders deed dan Igor zeker wist dat hij het zou doen. Hij trok een brede grijns en riep: 'Hoi, pap', en hij nam een ruiterhouding aan, nu niet meer last van een lastdier. Igor ook. Zelfs Hertha werd ietsje minder zoutzakkerig en kreeg weer billen, naar Igor aannam, toen ook de leraar weer zoiets als een gestalte werd op zijn ezel. Igor sloeg een verleerd kruis. Hij ademde weer en hij sprak tot zijn ezel. Wat, wist hij niet. Denkelijk dat ie zo goed en zo trouw en zo braaf en zo bekwaam was en toen hij weer een oor pakte, liet hij het niet los toen de ezel het terugrukte.

'Leven, jongens, we leven nog,' dat zei hij ook.

Ze zagen een halfuurtje later de boeren in de verte wel staan, maar alleen Benito wist wat het te betekenen had. De anderen wisten het pas, toen ze de eerste mest tegen Benito's koperbruine kop uit elkaar zagen spatten en tegen zijn knieën en zijn ezel, en recht in zijn gezicht, en in zijn hals, en op zijn oren, en tegen zijn rug. En erg veel tegen de ezel. En toen was Benito erdoorheen en zag Igor Hertha de kladders tegemoet rijden en een volle laag van drek krijgen, ook midden in haar geteisterde gezicht. En toen was Ian aan de beurt, die zijn ezel een geweldige klap met zijn zweep verkocht, zodat hij er snel door was, maar toch behoorlijk bevuild en toen moest George erdoor, maar die liet zijn ezel nog harder stuiven. En de ezel schoot midden tussen de boeren opzij uit en liep er twee omver en een kind, zodat ze even niet gooiden en George er met een mestflep tegen zijn borst van afkwam en toen reed Igor er zelf tussen, langzaam en breeduit zittend en de volle laag ontvangend, want de boeren waren doordat er twee ondersteboven lagen nog kwaaier en zelfs de kinderen grepen nu handjesvol uit de kruiwagens om die ellendige dikke rijke vreemdeling voor eens en voor altijd...

Ze passeerden vervolgens de mensen verderop, die beschaamd keken en Gilda en Tino, die nog groette ook naar Igor, van top tot teen gehuld in stront mogen we wel zeggen. Hij werd niet teruggegroet.

De boeren kwamen er ook weer aan en vroegen naar een pomp om hun handen te wassen en de kinderen die hadden meegedaan, hielden hun mesthandjes omhoog en ze lachten vertrouwelijk naar de toeschouwers uit Pallio.

Toen het voorbij was keek Gilda naar Tino. Ze huiverde.

'We gaan hier fijn dineren,' zei hij. 'Of wil je liever naar de stad?' Ze knikte. Ze wou ver weg.

Benito erkende zijn nederlaag. Zijn klanten waren, allen in precies gelijke mate, verdoofd. Als hij nou in godsnaam maar niet naar het badhotel rijdt, dacht Igor nog, maar nee, Benito reed langs Pallio naar zijn eigen huis.

Ze stapten af.

Niemand zei iets.

Niet omdat er niets te zeggen was, integendeel: nooit eerder zo veel als nu. Maar ze waren verpletterd.

Ze begonnen aan hun kleren te vegen, maar Benito zei (overigens tevergeefs in zijn onverstaanbare taal) dat ze het eerst moesten laten drogen.

Maria keek of de zadeltjes zich goed hadden gehouden en ze vroeg aan Benito of 'ze' de duiven lekker hadden gevonden. De ezels waren ook ontzettend smerig. Van een droop de mest langs zijn oog.

Ze waren doodop en stonden niet tegen elkaar aan, maar op enige afstand, in diverse hoeken met elkaar en alweer als door iemand, een Grote Hand neergezet op hun vier pootjes. Benito keek zijn gezelschap vragend aan. Moesten ze nog iets? Moest híj nog iets? George had in de stal een soort lap gevonden en wilde zijn vader die het aller- allersmerigst was een beetje afvegen en drong dusdoende de derrie nog dieper in diens kleren.

'Kijk ik eens!' zei Hertha toen, haar sportieve ruiterpakje tonend.

Een zeldzaam geslaagde welkomstgroet, als je terugkeert uit de dood, dacht Igor, dat 'Kijk ik eens...!' Inderdaad; kijk ons allemaal eens dacht hij. Hij had zelf het bombardement ondergaan als volkomen passend in de hel, waar ze die hele dag in hadden vertoefd. Als een bekroning eigenlijk.

Dat was waarschijnlijk een masochistisch trekje van hem. Maar aan de andere kant had er een diepe symboliek gezeten in die ontvangst, door de mestwerpers, van welke zíj in ieder geval niet precies wisten waar die aan was toe te schrijven. Maar George, die zo langzamerhand in die zes weken althans íéts van de taal hier had opgepikt, begreep van Maria dat het allemaal op Benito's rug neerkwam, omdat die de boeren van de bergen had laten barsten.

Benito, hoewel zeer landelijk van aard, begreep intussen wel dat hij zijn passagiers zo niet naar huis kon laten gaan en toen Tonio en Aido eraan kwamen lopen, wilde hij die jongens er meteen weer op uit sturen om in Pallio een man, die zijn auto wel eens als taxi gebruikte, op te scharrelen om hem — aangenomen dat hij al die poeptroep in zijn wagen wilde hebben — de badgasten naar het hotel te laten rijden. Maar Igor wilde van geen taxi weten; want toen George hem duidelijk had gemaakt wat hij van Maria's verhaal had begrepen, was hij heel verbeten geworden.

De burgemeester had intussen toch de hele middag

op hete kolen gezeten, maar toen hij van een van zijn politieagenten die van grote afstand had waargenomen wat er gebeurde, mocht vernemen dat iedereen absoluut nog leefde, had hij vrede gekregen met het volksgericht. En toen aan het einde van de middag zijn zoon die kunstgeschiedenis had gestudeerd en zijn zoon die voor priester had geleerd weer terugkwamen uit de stad en daar 'hun zaken tot tevredenheid hadden afgehandeld', naar ze zeiden (ze hadden zich in werkelijkheid de hele dag dáár ook op een terras verstopt) werd er al gauw besloten om feestelijk op de goede afloop te drinken. En mamma werd geroepen om nog wat glazen en flessen te brengen, want Tino en de aannemer waren zeker te verwachten na deze dag, zo ongewoon rijk aan gebeurtenissen.

Doch Tino kwam niet, omdat hij met Gilda naar dezelfde stad was gereden die de zoons van de burgemeester met hun bezoek hadden vereerd en de aannemer kwam niet, omdat hij op weg naar Pallio, Tino's auto tegen was gekomen met ontstellend duidelijk Gilda naast de verachte bestuurder. Hij wist absoluut niet hoe hij die schok moest verwerken en had zijn auto langs de kant van de weg gezet en was daar met zijn hoofd in zijn handen in blijven zitten. Zijn eerste idee was om snel om te draaien, Tino's auto te volgen en op het ogenblik dat de journalist-drukker uit zou stappen, hem ondersteboven te rijden. Maar hij begreep, dat in hoe'n klein hoekje een ongeluk ook kan liggen, dít toch een weinig geloofwaardig ongeval zou opleveren. En daarom zat hij met een dof hoofd te persen, of er geen betere ideeën te voorschijn zouden komen.

De afgelopen dagen had Gilda zijn hele denken beheerst. Voor haar had hij niet, gelijk hij meteen al gedacht had, de helft van zijn fortuin wel over, doch ook zijn staat van weduwnaar-vrijgezel mocht er wat hem betreft aan geloven, want hij had al lang genoeg van zijn leven in dat grote huis, met twee schuwe meiden, die altijd hetzelfde op tafel brachten en — naar hij als zeker aannam — niets uitvoerden als hij niet thuis was. En hij was zo goed als nooit thuis.

Gilda... wat een vrouw.

Hij had niet gedurfd wat Tino klaarblijkelijk wel met succes had gedaan: op haar af gaan en het gewoon zeggen hoe het met hem gesteld was. Hij wist wel dat hij vrij algemeen als een soort boef werd beschouwd; maar ja, hij was aannemer en dat is niet het subtielste soortje en aan hem lag het niet dat de burgemeester die zandtransporten erdoor had gefoezeld, al had hij zelf dan ook dapper meebetaald aan de voorbereiding van het toch ooit genomen ambtelijke en officiële besluit.

'Gilda,' mompelde hij. 'Gilda... heus ik zou je meevallen, meid.'

Dat deed Tino in ieder geval al niet, want niet alleen was hij in de auto op weg naar de stad op de grofste manier handtastelijk, zijn 'pikante conversatie' (waarmee hij naar zijn veronderstelling bezig was) was voor Gilda moeizaam als het zwemmen tegen een stroomversnelling van zeer vuil water. Het zou wel eens kunnen zijn, dacht ze, voortgaande op haar overpeinzingen inzake de geringheid van een drama in een groot landschap, dat mijn drama ligt in het uitstappen uit de bus aan de rand van Pallio, om te zien wat er zou gebeuren met de boeren van de berg.

Ze had er niet eens zo ver van af gestaan en het drong wel tot haar door, dat het voor alle deelnemers aan die helletocht een zeer veelbetekenend drama moest zijn, maar de bergen rondom waren zo groot. Het is haast onzin om te denken dat een mens ertoe doet, of zijn leven.

Ze sloeg Tino op het laatst een keer zo hard als ze kon op zijn poten en die zei toen: 'Nou, graag of niet', en bleef zo'n beetje zitten mokken, tot ze in het restaurant waren en hij zijn eerste glazen binnen had.

De verbetenheid van Igor werd er niet minder op, toen hij Benito's lompe pogingen zag, om de mest van hun kleren te verwijderen. 'Ach laat het toch!' had hij een paar keer gezegd en: 'Het is toch reddeloos.'

Hertha was ook tot die ontdekking gekomen, maar de leraar zag het niet in, met als enig gevolg dat híj dan tenminste in één egale strontkoek was gehuld, terwijl hij aanvankelijk er niet zo slecht was afgekomen. Wel zat ook zijn haar nu vol, omdat Benito met dezelfde vieze lap, daar een paar klodders mee af trachtte te vegen.

Toen de taxi maar niet kwam, besloten ze om dan maar zo door Pallio heen naar hun hotel te lopen. Benito wees op de ezels, maar Hertha riep: 'Ja, ik ga daar nog eens op dat rotbeest.' Igor keek nu nog verbetener: de ezels waren nu tenminste ook weer thuis en op de plaats waar zij hoorden. Hij was grondig terug in de wereld waarin de dingen geschikt liggen zoals ze liggen!

Mistroostig en verlegen liepen Hertha, George en Ian naar het hek van Benito's erf, maar ze zagen Igor nog even talmen en toen teruggaan naar Benito, en zijn portemonnaie uit zijn zak halen! 'Hij gaat zeker iets edels doen voor die ezels,' zei Hertha. 'Laten we maar doorlopen, dan duurt het het kortst.'

De verlegenheid van de deelnemers aan het bergtochtje verminderde tijdens de wandeling door Pallio. Want in de eerste plaats waren er erg weinig mensen op straat en vervolgens deden degenen die daar wel waren, of ze de toeristen in het geheel zoet zagen, of in ieder geval niet als opmerkelijke verschijningen. De leraar stelde dat vast en verbond er ook zijn conclusie aan, dat de inwoners van Pallio ook weinig ánders te zien krijgen dan passanten onder een laag mest.

Aan George viel trouwens ook niet veel te zien. Die had zelf een lap gevonden en een schraper, die hij overigens ook nog aan zijn moeder had aangeboden; maar die had er niet van willen weten omdat het een 'ezelschraper' was.

Kort voordat ze het strand bereikten, voegde Igor zich bij hen. Hij had een grote doos onder zijn arm, maar keek verder onbewogen.

Ze moesten voorbij de heren op het terras van de burgemeester, die van de koelte profiteerden nu de ergste kracht van de zon af was. Evenzeer trouwens genoten ze van de zee met een irriserend donkerblauw eroverheen, een wereld omspannende vlakte van rust en schoonheid.

De zoon die priester was geweest, zag ze het eerst.

'Daar komen de bergbedwingers,' zei hij geestig, 'moeten we ze niet aanspreken?' 'De poep zit tot in hun oogspleten,' fluisterde de burgemeester even komiek en de kunstgeleerde die niet wilde onderdoen mompelde: 'Ze moeten het zo láten; dat wordt een heel mooi patine...'

Igor die voorop liep, stond stil.

'Moedertje Maria, ze willen wat tegen ons zeggen,' zei de burgemeester en hij stond op en probeerde jofel te kijken. Z'n beide zoons verhieven zich eveneens uit hun zetels en liepen met respectievelijk een waardig joviale (de priester) en een deftig innemende (de kunstgeleerde) glimlach met hun vader mee, om van de lotgevallen die Igor duidelijk wilde vertellen, te vernemen.

'Ja, ik heb er iets van gehoord...' riep de burgemeester. 'U zult, als u zich hebt opgeknapt wel behoefte hebben aan een drankje! Mogen wij u verwachten, straks?' De priester en zijn broer begonnen tegelijkertijd aan een vertaling van deze woorden, toen ze de directeur van een spaarbank in de grote doos zagen tasten en met grote accuratesse een handvol poep, precies tegen de aanzet van hun vaders neus tussen de beide ogen, zagen werpen en wel met zo'n niet te verwachten kracht, dat het uiteenspatten van de stinkende materie ook hen bekladde. Igor greep opnieuw in de doos en smeet opnieuw en weer en nu greep ook het zoontje George toe en volgde het voorbeeld van zijn vader.

De burgemeester hield stand, zo goed als zijn beide zoons. Hij had natuurlijk hard weg moeten lopen en mamma moeten schreeuwen, om hem onmiddellijk schoon te maken; maar hij kwam niet van zijn plaats.

Het drong zelfs niet tot hem door dat weghollen een oplossing was. Ze ondergingen alle drie het bombardement in niet eindigende verbazing en die verbazing eindigde te minder, omdat nu ook de leraar en even daarna Hertha zelfs, begonnen te gooien. Hertha mikte minder goed dan haar man en haar zoon, maar iets beter dan de leraar met het gevolg dat niet alleen de gelaten van het trio, doch ook hun smetteloze kleding van de witte schoenen tot de open kragen zijn deel kreeg. Toen was de doos leeg, en de badgasten legden de laatste meters af naar het badhotel. In de ingang daarvan omhelsde Hertha onder de ogen van de leraar haar man. 'Geweldig, schat,' zei ze. 'Hoe kwam je op het idee?'

'Door jou,' zei Igor ernstig. 'Doordat je het had over die "rotezels". Ik dacht anders over die dieren en toen ik jullie zag weglopen dacht ik: de ezels zijn weer rotezels; alles ligt weer geschikt zoals het geschikt ligt!

Ook al komen we terug uit de dood.

Dat kon ik niet verdragen.

Weet je waar je mee gegooid hebt: ezelpoep!'

'HOI,' riep George.

'Je hebt gelijk,' zei Hertha. 'Om ezels kan ik wel huilen.'

'Doen,' zei Igor.

'Dat is me godverdomme ook wat!' riep de priester,

die met zijn zakdoek in de weer ging. 'Die Benito met zijn ezels... die zal het merken,' brieste de burgemeester.

'Dat van dat patine is niet zo'n goed idee,' zei zijn andere zoon. Ze liepen langzaam naar binnen met hun drieën.

Mamma had al kommen met warm water klaargezet en ze hoefden dus niet te vragen of ze het gezien had. 'We hebben maar twee badkamers, dus er zal er een moeten wachten,' zei ze.

De volgende morgen maakte Benito zijn gebruikelijke en historische route langs de boeren weer, maar hij werd nergens spottend ontvangen doch overal met de gebruikelijke norsheid. De vijf ezels liepen achter elkaar, heen met balen, terug met kisten; soms beten ze naar elkaar om volstrekt ondoorgrondelijke redenen en Benito riep dan: 'Láát je het', als ze het te bont maakten en gaf de bijter een dreun voor zijn kop.

De volgende morgen ook verliet Tino het paars en oranje huis van Gilda. Hij groette de mensen van het dorp oppervlakkig. Van nu af aan dienden ze aan hem gewend te zijn, vond hij en aan hun dorpse gezever had hij geen boodschap. De avond en de nacht waren niet bepaald een succes geweest, maar Gilda had hem in ieder geval niet met een schaar gestoken, gelijk hij toch wel gevreesd had en er leek iets in haar houding te komen, alsof dit haar lot moest zijn: optrekken met een schumert. Want dat hij dat was, had ze hem al huilend en soms stampend op de vloer vele malen gezegd. Het zou wel wennen, hoopte Tino en hij was van plan deze dag thuis nóg een koffer met kleren te halen en bij Gilda te brengen; misschien als een overblijfsel van de hond in hem, die met reukmerken werkt.

En ook die volgende morgen, vertrokken Benito's passagiers. Nadat Hertha haar man gekust had, had George overmoedig voorgesteld dat ze met hun kleren aan de zee in zouden gaan; dan waren ze het gauwst schoon en zijn vader en moeder vonden dat ineens reusachtig en even later hadden ze geweldige lol met hun drieën in de zee.

De leraar douchte op zijn badkamer; ook met kleren aan, eerst.

Ze dineerden daarna weer met zijn vieren, met stijve haren alle vier. George vond het jammer dat de leraar nu geen afscheid had genomen van de zee. Ze dronken erg veel wijn en toen ze vroeg in de morgen in hun auto's stapten, wuifden ze nog zo lang mogelijk en Igor zei: 'Dat was dan Pallio' toen ze eindelijk op een bredere weg terechtkwamen.

Dat was dan Pallio.

Het is altijd moeilijk voor te stellen hoe een vakantieplaatsje eruitziet als het seizoen is afgelopen en hoe de mensen dan leven daar. Ze zijn weer onder ons, dat wel, maar zijn ze er eigenlijk wel? Een kind dat voor de eerste keer naar de schouwburg gaat en daar betoverd wordt, kan makkelijk veronderstellen dat de mensen in de pauze ook niet echt zijn en zo is het met de mensen die in de vakantieplaatsjes wonen ook wel een beetje: ze horen bij het decor, ze zijn decoratie, spreken geen mensentaal, of het zouden typische kreetjes moeten zijn. De aannemer had dit gevoel niet, toen de directeur van de spaarbank hem voorbij reed met zijn gezin. Ze groetten hem niet, maar zeiden wel dat 'die kerel de dans ontsprongen was', gisteren. De aannemer voelde zich heel misschien ook wel een stuk decoratie, eventueel een figurant, die altijd maar op moest als aannemer; een soort typecasting, terwijl hij nu op wou als iets anders: de man van Gilda.

Hij had het denkbeeld om Tino dodelijk aan te rijden laten varen, maar niet dat van een afstraffing van die man. Zoiets als Benito had getroffen.

Maar aannemers krijgen niet zo makkelijk een volksgericht op hun hand! Hij had daar in de afgelopen nacht wel aan liggen denken en was tot de slotsom gekomen, dat het tot zijn zuivering zou bijdragen als die zandgletsjer eindelijk eens verdween en niet meer iedereen die er voorbij kwam zou weten, dat er gespuis in de buurt was en geknoei.

Hij ging nu kijken waar de zandlawine terecht zou komen als hij hem van zijn plaats zou kunnen krijgen, en dat viel erg mee. Hij zou er met vergoeding voor tijdelijk onbruikbaar land van af kunnen komen en aangezien hij van een doorzettend soort was, begon hij daar meteen over te onderhandelen die dag.

De burgemeester zat een dag lang verstard in zijn gemeentehuisje, waar hij nooit kwam. En de priester praatte met zijn broer. Dan wel niet over een nieuwe roeping, maar wel over de mogelijkheid van charitatief werk. Zijn broer die uit een ontzettend klein kopje koffie dronk, dacht dat dit de gezelligheid niet ten goede zou komen en dat het incident van gisteren niet te zwaar mocht wegen. Breugeliaans vond hij het. En mamma had gezegd dat hun kleren niet bedorven waren.

In ieder geval: toen de laatste badgasten vertrokken waren, het hotel dicht en het visrestaurant gesloten, bleef het nog mooi weer en ze zaten weer allemaal een goed deel van de dag op de terrassen van de burgemeester. Uitgezonderd de aannemer, die iedere keer omdraaide, als hij Tino zag zitten. En Tino zorgde altijd dat hij er zat, voordat de aannemer aan het eind van de middag verscheen.

De anderen informeerden wel eens bij Tino hoe Gilda het maakte, want ze wisten er natuurlijk alles van en als hij zei dat ze het prima stelde, lieten ze hem hun vriendelijke groeten overbrengen.

Het was mogelijk dat Gilda het prima stelde, maar Tino zelf duidelijk niet. Hij werd bleek en zenuwachtig.

Dat kwam door Kienko.

Die blafte nog iedere nacht, hoewel Gilda hem zelden meer de befaamde stoot gaf als hij overdag blafte, want ze verscheen niet graag voor het front van de waarnemers op de treden van het kapelletje. Het eigenaardige was, dat zij er uitstekend uitzag! Haar dagen, zo goed als haar nachten waren heel duidelijk gevuld met leed. Maar er was toch iets in haar, dat leek te bloeien. Ze zou zelf niet weten wat dan wel en ze was wel eens bang dat het de vrijmoedigheid was, waarmee ze Tino op zijn huid zat en afstrafte voor zijn gemeenheid. Want gemeen was hij. Zo door en door als ze zich eigenlijk van niemand kon voorstellen.

Ze wist nu zeker dat haar drama zich om die nauwelijks zichtbare kern van toen uit de bus gestapt te zijn wikkelde, en ze was tot het uiterste gespannen wat dat nog voor haar met zich mee zou brengen en hoe zij dan zou blijken te zijn. Want vooral dat: hoe zij zou blijken te zijn, intrigeerde haar; nu zij in weerwil van haar kracht eigenlijk al altijd, en in weerwil van haar schoonheid die ze toch wel moest toegeven, sinds Tino er zo duidelijk van bezeten was, in weerwil dus van haar kracht en van haar schoonheid altijd alles maar met zich had laten gebeuren, in plaats van te staan voor wat zij (eventueel) was.

Ze was dus in een staat van verwachting. En afgezien van die plaag in haar huis, in een groeiende erkenning dat zij een eigen leven kon hebben. Een van de gevolgen daarvan was dat ze beter sliep en niet of zelden meer wakker werd van Kienko en de andere honden die wel naar onraad leken te snakken, in de demping van de nachten die al weer groeien hoorden ruisen van komend voorjaar in de bomen.

Maar Tino kon niet meer door Kienko heen slapen en helemaal niet als die de andere honden op gang had. En hij was voor de verdere nacht volstrekt hopeloos van zijn slaap gebracht, als de ezels van Benito hun kosmisch klachtenboek opensloegen.

Tino, die in de eerste tijd altijd 'stel je niet aan, slet, die honden hoor je niet, als je ze niet wilt horen' had gezegd tegen Gilda, lag nu naast een diepslapende vrouw, die bovendien als hij haar dan tóch wakker pestte, meteen daarna weer zwaar haar romige slaap in zonk.

Het leek hem goed om Kienko te vergiftigen. Maar Gilda mocht dat niet merken en dus leerde hij het hondje een kunstje met worst, zodat dat witte dier zo dik werd, dat er slechts een rolladenetje omheen gespannen diende te worden om hem zonder opzien als zodanig op te kunnen dienen.

Toen Tino op de beslissende dag een stuk worst stond te vergiftigen, was Gilda echter, alsof ze het rook, in de stal gekomen en ze had zijn hele gifwinkel ondersteboven getrapt en daarna de stal met alle schoonmaakmiddelen die God gegeven heeft uitgeboend. Tino verdween dus met de staart tussen zijn poten naar boven, in plaats van Kienko naar de eeuwigheid.

Tino kwam later echter op een betere gedachte. Toen Gilda op een morgen naar de notaris moest, die gevraagd had of ze eens langs wou komen, stopte Tino Kienko in een zak, smeet die in de auto en reed ermee naar het strand.

Ze waren daar namelijk met een bulldozer bezig nieuw zand te spreiden (de operatie van de aannemer was gelukt en de gletsjer was naar beneden gedonderd, iedereen toch nog weer verbazend dat er destijds zó veel zand doelloos naar boven was getransporteerd en hoeveel dat wel gekost zou hebben) en het zandstrand van Pallio was safe en eventueel nog wel vijf stranden erbij ook.

Tino stond op het geasfalteerde weggetje naar het badhotel, dicht bij het huis van de burgemeester met Kienko in die zak in zijn hand naar het schuiven van het zand te kijken, dat mooi moest aansluiten tegen het weggetje. Hij kende de bulldozermachinist wel, groette hem jofel, keek even vragend of het mocht en smeet toen de zak tegen het vooruitschuivende zand. De zak met de hond erin raakte er prima onder.

Tino groette opnieuw betoverend en keerde terug naar zijn auto; naar de heren op het terras van de burgemeester een gebaar makend, dat drukte hem verhinderde nu reeds te komen kletsen en vernemen.

Thuis vertelde Gilda aan Tino dat de notaris haar op de hoogte had gebracht van een financieel voordeeltje bij het beheer van haar effecten en dat zij op haar beurt hem had uitgenodigd om tegen het vallen van de avond een wandeling te maken; de berg op, om te genieten van het uitzicht op zee, aan de ene, zowel als aan de andere kant van het schiereiland. 'Het wordt voorjaar,' zei ze en hij was er een hele tijd niet geweest.

Het verbaasde Tino dat ze Kienko nog niet miste. Hij viste wat naar het financiële meevallertje, maar ze antwoordde: 'Zó gek zal ik in ieder geval niet zijn om je iets van het geld te vertellen.' Nou, dat hoefde niet hoor, en hij zou nu maar eens naar zijn krantje gaan.

Een uur later liep Gilda het hele dorp af om Kienko te zoeken. De meeste mensen zeiden wel: 'We zien je nooit es', maar van Kienko wisten ze niets af, die dikke witte keffer. 's Middags begreep Gilda wel, dat Kienko dood was en dat Tino het dus toch had gewaagd.

Moest dit het moment van haar ontwaken zijn?

Ze was er niet zeker van. Ze kende de ellende van slapeloze nachten door dat hondje dat niets dan onraad hoorde. Ze kon niet met absolute zekerheid stellen dat Tino het alleen maar gedaan had om háár te treffen; hij kon het ook gewoon voor zichzelf gedaan hebben, want hij sliep inderdaad bijna niet meer. In ieder geval niet 's nachts. Ze noteerde de rotstreek bij de andere, maar zo te zien leek ze (voor de zoveelste keer) van plan om te berusten.

Toen de notaris er nog maar net was, verscheen Tino ook. Om te provoceren. Zowel Gilda als die oude man, die de pest aan hem had en hem behandelde als lucht. 'Gaat hij ook mee?' vroeg de notaris. 'Ja, hij gaat ook mee,' zei Tino en hij maakte een overdreven buiging. Ze gingen eerst een stuk met zijn auto; toen stapten ze uit om de rest te wandelen.

Het was fris en mooi op het plateau en Gilda gaf de oude notaris een arm om hem niet te laten struikelen over de zeer ongelijke, brokkelige grond. Toen stonden ze met hun drieën dicht bij de rand van de afgrond en zagen de twee zeeën, de een links en de ander rechts van het schiereiland.

'Je komt er altijd weer van onder de indruk,' zei Tino en niemand kon dat tegen spreken. 'Ik zal er in mijn krant voor gaan ijveren, dat hier een balustrade komt,' riep Tino, 'en een bord waarop staat aangegeven wat je ziet!' Hij deed nog een stapje naar voren en verkondigde: 'Hier moet het komen, een mooi rustiek toeristenhekkie.'

Inderdaad, dat zou zinvol zijn. Het was het mooiste punt van het schiereiland hier.

Gilda bukte zich. Want er waren al veldbloemen. Ze plukte er snel een boeket van bij elkaar.

'We krijgen nog eens zo veel toeristen door jou, dat het de hele streek zal bederven,' zei de notaris.

'Die kaffers hier gooien ze wel weer met mest om hun oren,' zei Tino.

'Alstublieft: voor mevrouw,' zei Gilda en ze stapte op de notaris toe om hem de geplukte bloemen te overhandigen. 'Of zal ik ze zelf dragen?'

'Mooi zijn ze; ruiken ze al?' vroeg de notaris. Gilda hield ze omhoog om hem te laten ruiken, maar ze struikelde wat en viel zo'n beetje tegen hem aan. 'O, neem me niet kwalijk,' zei ze nog, maar toen liet ze haar bloemen gauw vallen om de notaris tegen te houden, want die had zijn evenwicht even verloren toen

Gilda hem raakte. En om niet in de diepte te vallen greep hij zich een moment vast aan Tino, juist toen Gilda hem bij zijn arm pakte; de notaris dan. Tino niet.

Die riep nog. 'Héé kijk uit', op zijn eigen grove toon. Maar toen ging hij zowel vóór-, als onderuit! Hij was ineens totaal verdwenen. Die steekt zijn akelige kop direct wel weer over de rand, dacht de notaris wel, maar dat deed hij volstrekt niet. Hij was nu al wel honderd meter lager en hij moest er nog ongeveer duizend afleggen. Want deze berg is elfhonderd meter op zijn hoogste punt, staat in de folder. Tino had vlak bij een boompje gestaan en met een staart had hij zich nog kunnen redden.

'Ik geloof... dat hij... gevallen is...' zei de notaris.

'Ik begin het ook te geloven,' zei Gilda.

Ze keek zo ver mogelijk over de rand omlaag, maar Tino zat nergens tegen een boompje of een struik geklemd.

Ze zag zijn lijk ook niet. 'Laten we maar gauw naar dat café gaan om ze te vertellen dat er iemand van ons naar beneden is... gegleden,' zei de notaris.

'Ja,' zei Gilda, 'dat zal het enige zijn.'

'De bloemen,' zei de notaris. Gilda raapte ze op, kneep ze dicht tegen elkaar en gooide ze toen ook naar beneden. 'Pas toch op, kind,' zei de notaris.

'Mevrouw krijgt een volgende keer wel andere,' zei Gilda.

Toen ze om van de schrik te bekomen in de kille boerenherberg met uitzicht op de Srotta koffie dronken, dacht Gilda aan haar gedachten van die middag. En hoe ze toen niet zeker wist of Tino Kienko had vermoord om háár te treffen, of vooral toch ook voor zichzelf. Moeilijk te beantwoorden vragen!

Op de terugweg kwamen ze Benito met zijn ezels tegen. Hij wist nog niet dat Tino dood was en hij groette niet. De ezels ook niet. Ze droegen kisten met pluimvee en konijnen naar boven, want morgen is er een bruiloft daar. Kisten met kippegaas waarvan de naar buiten stekende punten bijdroegen tot hun wonden. Nieuwe schrammen en krassen maakten en een paar bloedden alweer een beetje.

Het lijden is ook wanneer er nooit iets anders is geweest en het nooit ophoudt niet verblindend. Ze zagen elkaar en ze zagen de weg en ze zagen het groen waar ze langs liepen en ze zagen Benito. De kratten doen pijn, maar zijn niet zo zwaar als kisten of als balen meel. Het is hun tweede tocht naar boven vandaag. Ze zijn moe en bezweet. Niemand herinnert zich een dode ezel. Igor zal zich later herinneren dat hij in het uiterste van zijn nood een oor beetpakte, maar dat de

ezel het uit zijn hand rukte. En dat hij het later liefko-
zend beetpakte zal Igor ook nog wel blijven weten.
Het oor van die ezel zal voor hem blijven bestaan,
als de ezel al lang dood is. Maar de ezel kent hij niet,
hoewel die leefde en zelfs zo leefde dat hij hem veilig
de berg op en de berg af droeg. Hem droeg.

O dode ezels. Als zij geslacht worden, vallen ze op
hun zij en als de bewerkingen dan beginnen zwaaien
hun stijve poten als vertraagd een beetje van de grond
af omhoog en weer terug. Nuttiger lijken dan die van
mensen, gehuld in de smart en de herinneringen van
anderen. Zelfs Tino, wiens lijk, voor zover herken-
baar, in de struiken langs de weg die van Pallio naar de
andere kant van het schiereiland voert? Zijn autosleu-
tels liggen ernaast in het gruis.

Benito's ezels stappen verder. Men zou kunnen
zeggen: Tino is dood en zíj leven dan toch nog maar!
Misschien dat Benito dat denkt van zichzelf, als hij
van Tino hoort. Maar ezels denken dat niet, zij vormen een grijze, moeilijke stroom naar de dood en worden door niets daarvan afgeleid. Wanneer zij in het
zwart van hun donkere stal, 's nachts dan balken, weten ze niet eens dat die stroom grijs zal blijven zo lang
er leven is op de aarde en dat alleen dat totale zwart
van hun nachten daar inbreuk op maakt en de dood
doet kennen. Zij staan er levend in met bloed dat in

vrij langzame golven door hun lichaam gaat en vaak dampend. Uitwaseming hebben ze dan. Ze eten midden in de nacht ineens uit de ruif en ze stoten hun poep uit en ze draaien hun oren als er een balkt. Van binnen zijn ze rood. Van vlees en bloed: worst. Er is onraad, vreselijk onraad! Voor de levenden, veroordeeld tot dit nachtzwart, omzwermd door dode hemellichamen. Dít onraad voelen de ezels tenminste niet in de dagelijkse grijze stroom en de kwelling. Maar vannacht zullen ze ervan balken en er het signaal van geven, dat leven lijden is, zonder verlossing dan ander of verder lijden, tot het hemellichaam dat niet dood is, van steen is tussen de andere.

'Tino heeft bij wijze van spreken zelf het nut van zijn balustrade aangetoond,' zei de notaris toen hij afscheid nam voor Gilda's huis.

Iedereen wist er toen al van, maar niemand kwam condoleren. Niet omdat ze het een verdacht geval vonden — onder notarieel toezicht — maar omdat ze dachten dat condoleren schijnheilig zou zijn.

Al een dag later kreeg Gilda een briefje. Heel kort.

'Mens, trouw met mij. We wachten tot alles even gezakt is en dan doen we het.

Ja????

Uw hondje hebben we gered, de machinist en ik. Ik

156

zag het toevallig. Ik zal hem laten bezorgen, want hij blaft me gek.'

Vervolgens een ondertekening.

Gilda, die de naam van de aannemer niet kende, moest nog informeren wie degeen was die het briefje had ondertekend.

'Dat is de aannemer!' riep de notaris door de telefoon. 'Je gaat nou toch niet...'

's Nachts blafte Kienko als vanouds. Hij had, nadat hij met een gigantische zandauto was teruggebracht door een chauffeur van de aannemer ook al weer drie stompen met de bezem gehad.

Maar eigenlijk uit geluk.

Gilda lag die nacht weer wakker. Maar niet onopgewekt, in weerwil van het drama — dat overigens in dit majesteitelijk uitzicht wel helemaal het summum van geringheid was geweest. Tino was al weg toen ze keek; weg van waar hij zojuist nog stond.

Alleen maar weg.

Ze luisterde naar de honden en hoe de kring van meeblaffers groter werd. En ze moest eigenlijk lachen om al die uitsloverij van dat gekef en gebrom, het gejank en het woeste diepe blaffen. Ze ging slapen; er was geen onraad. Tenzij nu ook de ezels zouden beginnen, de ezels van Benito.

Maar die zwegen.

'Zie je wel,' fluisterde Gilda en ze schurkte zich lekker in haar bed zodat ze enigszins in de vorm van een vraagteken, zoals er in de brief van de aannemer stonden, insliep.

Dwars door het blaffen heen en later, toen de ezels van Benito wel tot tussen de sterren het grote onraad van de dood balkten, bleef ze vredig slapen.